Premier amour

ŒUVRES PRINCIPALES

Tourgueniev

Premier amour

Traduit par Michel Rostislav Hofmann

Librio

Texte intégral

Les invités avaient pris congé depuis longtemps. L'horloge venait de sonner la demie de minuit. Seuls, notre amphitryon, Serge Nicolaïévitch et Vladimir Pétrovitch restaient encore au salon.

Notre ami sonna et fit emporter les reliefs du repas.

– Nous sommes bien d'accord, messieurs, fit-il en s'enfonçant dans son fauteuil et en allumant un cigare, chacun de nous a promis de raconter l'histoire de son premier amour. À vous le dé, Serge Nicolaïévitch.

L'interpellé, un petit homme blond au visage bouffi, regarda l'hôte, puis leva les yeux au plafond.

– Je n'ai pas eu de premier amour, déclara-t-il enfin. J'ai commencé directement par le second.

– Comment cela ?

– Tout simplement. Je devais avoir dix-huit ans environ quand je m'avisai pour la première fois de faire un brin de cour à une jeune fille, ma foi fort mignonne, mais je me suis comporté comme si la chose ne m'était pas nouvelle : exactement comme j'ai fait plus tard avec les autres. Pour être franc, mon premier – et mon dernier – amour remonte à l'époque où j'avais six ans. L'objet de ma flamme était la bonne qui s'occupait de moi. Cela remonte loin, comme vous le voyez, et le détail de nos relations s'est effacé de ma mémoire. D'ailleurs, même si je m'en souvenais, qui donc cela pourrait-il intéresser ?

– Qu'allons-nous faire alors ? se lamenta notre hôte... Mon premier amour n'a rien de très passionnant, non plus. Je n'ai jamais aimé avant de rencontrer Anna Ivanovna, ma femme. Tout s'est passé le plus naturellement du monde : nos pères nous ont fiancés, nous ne tardâmes pas à éprouver une inclination mutuelle et nous nous sommes mariés vite. Toute mon histoire tient en deux mots. À vrai dire, messieurs, en mettant la question sur le tapis, c'est sur vous que j'ai compté, vous autres, jeunes célibataires... À moins que Vladimir Pétrovitch ne nous raconte quelque chose d'amusant...

– Le fait est que mon premier amour n'a pas été un amour banal, répondit Vladimir Pétrovitch après une courte hésitation.

C'était un homme d'une quarantaine d'années, aux cheveux noirs, légèrement mêlés d'argent.

– Ah ! Ah ! Tant mieux !... Allez-y ! On vous écoute !

– Eh bien voilà... Ou plutôt non, je ne vous raconterai rien, car je suis un piètre conteur et mes récits sont généralement secs et courts ou longs et faux... Si vous n'y voyez pas d'inconvénient, je vais consigner tous mes souvenirs dans un cahier et vous les lire ensuite.

Les autres ne voulurent rien savoir, pour commencer, mais Vladimir Pétrovitch finit par les convaincre. Quinze jours plus tard, ils se réunissaient de nouveau et promesse était tenue.

Voici ce qu'il avait noté dans son cahier :

1

J'avais alors seize ans. Cela se passait au cours de l'été 1833.

J'étais chez mes parents, à Moscou. Ils avaient loué une villa près de la porte Kalougski, en face du jardin Neskoutchny. Je me préparais à l'université, mais travaillais peu et sans me presser.

Point d'entraves à ma liberté : j'avais le droit de faire tout ce que bon me semblait, surtout depuis que je m'étais séparé de mon dernier précepteur, un Français qui n'avait jamais pu se faire à l'idée d'être tombé en Russie *comme une bombe** et passait ses journées étendu sur son lit avec une expression exaspérée.

Mon père me traitait avec une tendre indifférence ; ma mère ne faisait presque pas attention à moi, bien que je fusse son unique enfant : elle était absorbée par des soucis d'une autre sorte.

Mon père, jeune et beau garçon, avait fait un mariage de raison. Ma mère, de dix ans plus vieille que lui, avait eu une existence fort triste : toujours inquiète, jalouse, taciturne, elle n'osait pas se trahir en présence de son mari qu'elle craignait beaucoup... Et lui, affectait une sévérité froide et distante...

* En français dans le texte.

Jamais je n'ai rencontré d'homme plus posé, plus calme et plus autoritaire que lui.

Je me souviendrai toujours des premières semaines que j'ai passées à la villa. Il faisait un temps superbe. Nous nous étions installés le 9 mai, jour de la Saint-Nicolas. J'allais me promener dans notre parc, au Neskoutchny, ou de l'autre côté de la porte de Kalougski ; j'emportais un cours quelconque – celui de Kaïdanov, par exemple – mais ne l'ouvrais que rarement, passant la plus claire partie de mon temps à déclamer des vers dont je savais un grand nombre par cœur. Mon sang s'agitait, mon cœur se lamentait avec une gaieté douce ; j'attendais quelque chose, effrayé de je ne sais quoi, toujours intrigué et prêt à tout. Mon imagination se jouait et tourbillonnait autour des mêmes idées fixes, comme les martinets, à l'aube, autour du clocher. Je devenais rêveur, mélancolique ; parfois même, je versais des larmes. Mais à travers tout cela, perçait, comme l'herbe au printemps, une vie jeune et bouillante.

J'avais un cheval. Je le sellais moi-même et m'en allais très loin, tout seul, au galop. Tantôt je croyais être un chevalier entrant dans la lice – et le vent sifflait si joyeusement à mes oreilles ! – tantôt, je levais mon visage au ciel, et mon âme large ouverte se pénétrait de sa lumière éclatante et de son azur.

Pas une image de femme, pas un fantôme d'amour ne s'était encore présenté nettement à mon esprit ; mais dans tout ce que je pensais, dans tout ce que je sentais, il se cachait un pressentiment à moitié conscient et plein de réticences, la prescience de quelque chose d'inédit, d'infiniment doux et de féminin…

Et cette attente s'emparait de tout mon être : je la respirais, elle coulait dans mes veines, dans chaque goutte de mon sang… Elle devait se combler bientôt.

Notre villa comprenait un bâtiment central, en bois, avec une colonnade, flanquée de deux ailes basses ; l'aile gauche abritait une minuscule manufacture de papiers peints... Je m'y rendais souvent. Une dizaine de gamins maigrichons, les cheveux hirsutes, le visage déjà marqué par l'alcool, vêtus de cottes graisseuses, sautaient sur des leviers de bois qui commandaient les blocs de presses carrées. De cette manière, le poids de leur corps débile imprimait les arabesques multicolores du papier peint. L'aile droite, inoccupée, était à louer.

Un beau jour, environ trois semaines après notre arrivée, les volets des fenêtres s'y ouvrirent bruyamment, j'aperçus des visages de femmes – nous avions des voisins. Je me rappelle que le soir même, pendant le dîner, ma mère demanda au majordome qui étaient les nouveaux arrivants. En entendant le nom de la princesse Zassekine, elle répéta d'abord, avec vénération : « Ah ! une princesse », puis elle ajouta : « Pour sûr, quelque pauvresse. »

– Ces dames sont arrivées avec trois fiacres, observa le domestique, en servant respectueusement le plat. Elles n'ont pas d'équipage, et quant à leur mobilier, il vaut deux fois rien.

– Oui, mais j'aime tout de même mieux cela, répliqua ma mère.

Mon père la regarda froidement et elle se tut.

Effectivement, la princesse Zassekine ne pouvait pas être une personne aisée : le pavillon qu'elle avait loué était si vétuste, petit et bas que même des gens de peu de fortune auraient refusé d'y loger. Pour ma part, je ne fis aucune attention à ces propos. D'autant plus que le titre de princesse ne pouvait pas me produire la moindre impression, car je venais précisément de lire *Les Brigands*, de Schiller.

J'avais contracté l'habitude d'errer chaque soir à travers les allées de notre parc, un fusil sous le bras, guettant les corbeaux. De tout temps, j'ai haï profondément ces bêtes voraces, prudentes et malignes. Ce soir-là, descendu au jardin, comme de coutume, je venais de parcourir vainement toutes les allées : les corbeaux m'avaient reconnu et leurs croassements stridents ne me parvenaient plus que de très loin. Guidé par le hasard, je m'approchai de la palissade basse séparant *notre* domaine de l'étroite bande jardinée qui s'étendait à droite de l'aile et en dépendait.

Je marchais, tête baissée, lorsque je crus entendre un bruit de voix ; je jetai un coup d'œil par-dessus la palissade, et m'arrêtai stupéfait... Un spectacle étrange s'offrait à mes regards.

À quelques pas devant moi, sur une pelouse bordée de framboisiers verts, se tenait une jeune fille, grande et élancée, vêtue d'une robe rose à raies et coiffée d'un petit fichu blanc ; quatre jeunes gens faisaient cercle autour d'elle, et elle les frappait au front, à tour de rôle, avec une de ces fleurs grises dont le nom m'échappe, mais que les enfants connaissent bien : elles forment de petits sachets qui éclatent avec bruit quand on leur fait heurter quelque chose de dur. Les victimes offraient leur front avec un tel empressement, et il y avait tant de charme, de tendresse impérative et moqueuse, de grâce et d'élégance dans les mouvements de la jeune fille (elle m'apparaissait de biais), que je faillis pousser un cri de surprise et de ravissement... J'aurais donné tout au monde pour que ces doigts adorables me frappassent aussi.

Mon fusil glissa dans l'herbe ; j'avais tout oublié et dévorais des yeux cette taille svelte, ce petit cou, ces jolies mains, ces cheveux blonds légèrement ébouriffés sous le fichu blanc, cet œil intelligent à moitié clos, ces cils et cette joue veloutée...

– Dites donc, jeune homme, croyez-vous qu'il soit permis de dévisager de la sorte des demoiselles que vous ne connaissez pas ? fit soudain une voix, tout contre moi.

Je tressaillis et restai interdit... Un jeune homme aux cheveux noirs coupés très court me toisait d'un air ironique, de l'autre côté de la palissade. Au même instant, la jeune fille se tourna également de mon côté... J'aperçus de grands yeux gris, sur un visage mobile qu'agita tout à coup un léger tremblement, et le rire, d'abord contenu, fusa, sonore, découvrant ses dents blanches et arquant curieusement les sourcils de la jeune personne... Je rougis piteusement, ramassai mon fusil et m'enfuis à toutes jambes, poursuivi par les éclats de rire. Arrivé dans ma chambre, je me jetai sur le lit et me cachai le visage dans les mains. Mon cœur battait comme un fou ; je me sentais confus et joyeux, en proie à un trouble comme je n'en avais jamais encore éprouvé.

Après m'être reposé, je me peignai, brossai mes vêtements et descendis prendre le thé. L'image de la jeune fille flottait devant moi ; mon cœur s'était assagi, mais se serrait délicieusement.

– Qu'as-tu donc ? me demanda brusquement mon père. Tu as tué un corbeau ?

J'eus envie de tout lui raconter, mais je me retins et me contentai de sourire à part moi. Au moment de me coucher, je fis trois pirouettes sur un pied – sans savoir pourquoi – et me pommadai les cheveux. Je dormis comme une souche. Peu avant le petit jour, je me réveillai un instant, soulevai la tête, regardai autour de moi, plein de félicité – et me rendormis.

« Comment m'y prendre pour faire leur connaissance ? » Telle fut ma première pensée en me réveillant.

Je descendis au jardin avant le thé, mais évitai de m'approcher trop près de la palissade et n'aperçus âme qui vive.

Après le thé, je passai et repassai plusieurs fois devant *leur* pavillon et essayai de percer de loin le secret des croisées... À un moment donné, je crus deviner un visage derrière le rideau et m'éloignai précipitamment.

« Il faut tout de même bien que je fasse sa connaissance, me disais-je, en me promenant sans but dans la plaine sablonneuse qui s'étend devant Neskoutchny. Mais comment ? Voilà le problème. » J'évoquais les moindres détails de notre rencontre de la veille ; de toute l'aventure, c'était son rire qui m'avait frappé le plus, je ne savais pourquoi...

Pendant que je m'exaltais et imaginais toutes sortes de plans, le destin avait déjà pris soin de moi...

Pendant mon absence, ma mère avait reçu une lettre de notre voisine. Le message était écrit sur un papier gris très ordinaire et cacheté avec de la cire brune, comme on n'en trouve généralement que dans les bureaux de poste ou sur les bouchons des vins de qualité inférieure. Dans cette lettre, où la négligence de la syntaxe ne le cédait en rien à celle de l'écriture, la princesse demandait à ma mère de lui accorder aide et protection. Ma mère, selon notre voisine, était intimement liée avec des personnages influents, dont dépendait le sort de la princesse et de ses enfants, car elle était engagée dans de gros procès :

« Je m'adresse à vou, écrivait-elle, come une fame noble à une autre fame noble, et d'autre part, il met agréable de profité de ce asart... » Pour conclure, ma princesse sollicitait l'autorisation de venir rendre visite à ma mère.

Cette dernière se montra fort ennuyée : mon père était absent et elle ne savait à qui demander conseil. Bien entendu, il n'était pas question de laisser sans réponse la missive de la « fame noble » – une princesse par-dessus le marché ! Mais que faire ! il semblait déplacé d'écrire un mot en français, et l'orthographe russe de ma mère était plutôt boiteuse ; elle le savait et ne voulait pas se compromettre.

Mon retour tombait à pic. Maman me demanda de me rendre incontinent chez la princesse et de lui expliquer que l'on serait toujours heureux, dans la mesure du possible, de rendre service à Son Altesse et enchantés de la recevoir entre midi et une heure. La réalisation soudaine de mon désir voilé me remplit de joie et d'appréhension. Cependant, je n'en laissai rien voir et, avant d'accomplir la mission, montai dans ma chambre afin de passer une cravate neuve et ma petite redingote. À la maison, l'on me faisait porter encore veste courte et col rabattu, malgré mes protestations.

4

Je pénétrai dans le vestibule étroit et mal tenu, sans réussir à maîtriser un tremblement involontaire, et croisai un vieux domestique chenu, dont le visage était couleur de bronze et les yeux mornes et petits, comme ceux d'un porc. Son front et ses tempes étaient burinés de rides profondes, comme je n'en avais encore jamais vu. Il portait un squelette de hareng sur une assiette. En m'apercevant, il repoussa du pied la porte qui donnait dans l'autre pièce et me demanda d'une voix brusque :

– Que désirez-vous ?

– Est-ce que la princesse Zassekine est chez elle ? m'informai-je.

– Boniface ! cria derrière la porte une voix de femme éraillée.

Le domestique me tourna silencieusement le dos, offrit à mes regards une livrée fortement usée sur les omoplates, dont l'unique bouton, tout couvert de rouille, était frappé aux armes de la princesse, posa l'assiette sur le carreau et me laissa seul.

– Es-tu allé au commissariat ? reprit la même voix.

Le domestique marmotta quelque chose.

– Tu dis... qu'il y a quelqu'un ?... Le fils du patron d'à côté ?... Fais-le entrer !

– Veuillez entrer au salon, fit le domestique en réapparaissant devant moi et en ramassant son assiette.

Je rectifiai rapidement ma tenue et passai au « salon ».

J'étais dans une petite pièce pas très propre, meublée pauvrement et à la hâte. Une femme, âgée d'une cinquantaine d'années, nu-tête, se tenait assise dans un fauteuil aux bras cassés, près de la fenêtre. Elle portait une vieille robe de couleur verte et un fichu bariolé, en poil de chameau, autour du cou. Elle me dévorait littéralement de ses petits yeux noirs.

Je m'approchai d'elle et la saluai.

– Ai-je l'honneur de parler à la princesse Zassekine ?

– Oui, c'est moi. Et vous êtes le fils de M. V... ?

– Oui, princesse. Ma mère m'a chargé d'une commission pour vous.

– Asseyez-vous donc, je vous en prie... Boniface !...
Où sont mes clefs ?... Est-ce que tu ne les as pas
vues ?

Je rapportai la réponse de ma mère à mon interlocutrice. Elle m'écouta en tambourinant sur la vitre
avec ses gros doigts rouges et, quand j'eus fini de
parler, me dévisagea de nouveau.

– Très bien. Je viendrai sans faute, dit-elle enfin.
Comme vous êtes jeune ! Quel âge avez-vous, s'il
n'est pas indiscret de vous le demander ?

– Seize ans, répondis-je avec une involontaire hésitation.

La princesse tira de sa poche quelques papiers
graisseux et gribouillés, les porta tout contre son nez
et se mit à les déchiffrer.

– Le bel âge, émit-elle soudain, en se tournant vers
moi et en remuant sa chaise. Je vous en prie, pas de
cérémonies, chez moi tout est simple.

« Et trop fruste », ajoutai-je à part moi, en jetant
un coup d'œil dégoûté sur toute sa silhouette malpropre.

À cet instant précis, une autre porte s'ouvrit, et la
jeune fille de la veille apparut sur le seuil. Elle leva la
main et un sourire moqueur éclaira son visage.

– C'est ma fille, dit la princesse, en la désignant du
coude. Zinotchka, c'est le fils de notre voisin, M. V...
Comment vous appelez-vous, jeune homme ?

– Vladimir, balbutiai-je, plein de confusion, en me
levant précipitamment.

– Et votre patronyme est ?

– Pétrovitch.

– Tiens ! J'ai connu un commissaire de police qui
s'appelait également Vladimir Pétrovitch. Boniface,
ne cherche plus les clefs : je les ai dans ma poche.

La jeune fille me dévisageait toujours du même air
moqueur, en clignant légèrement les yeux et la tête
un peu penchée de côté.

– Je vous ai déjà vu, monsieur Voldémar, commença-t-elle (le son de sa voix d'argent me fit tressaillir d'un doux frisson)... Vous voulez bien que je vous appelle ainsi, n'est-ce pas ?

– Mais comment donc, balbutiai-je à peine.

– Où ça ? demanda la princesse.

La jeune fille ne lui répondit rien.

– Avez-vous une minute de libre ? m'interrogea-t-elle de nouveau.

– Oui, mademoiselle.

– Voulez-vous m'aider à dévider cette pelote de laine ? Venez par ici, dans ma chambre.

Elle sortit du « salon » avec un signe de tête. Je lui emboîtai le pas...

L'ameublement de la pièce où nous étions entrés était un peu mieux assorti et disposé avec plus de goût qu'au « salon ».

Mais, pour être tout à fait franc, c'est à peine si je m'en doutais : je marchais comme un somnambule et ressentais dans tout mon être une sorte de transport joyeux frisant la sottise.

La jeune princesse prit une chaise, chercha un écheveau de laine rouge, le dénoua soigneusement, m'indiqua un siège en face d'elle, et me mit la laine sur les mains tendues.

Il y avait dans tous ses gestes une lenteur amusante ; le même sourire, clair et espiègle, errait au coin de ses lèvres entrouvertes. Elle commença à enrouler la laine sur un carton plié en deux et m'illumina tout soudain d'un regard si rapide et rayonnant que je baissai les yeux malgré moi. Lorsque ses yeux, généralement à moitié clos, s'ouvraient de toute leur immensité, son visage se transfigurait instantanément, inondé d'un rai de soleil.

– Qu'avez-vous pensé de moi hier, m'sieur Voldémar ? me demanda-t-elle au bout de quelque temps. Je gage que vous m'avez sévèrement jugée.

– Moi... princesse... je n'ai rien pensé du tout... comment pourrais-je me permettre de... balbutiai-je tout désemparé.

– Écoutez-moi bien, reprit-elle. Vous ne me connaissez pas encore. Je suis une lunatique. Vous avez seize ans, n'est-ce pas ? Moi, j'en ai vingt et un... Je suis beaucoup plus vieille que vous ; par conséquent, vous devez toujours me dire la vérité... et m'obéir, ajouta-t-elle. Allons, regardez-moi bien en face... Pourquoi baissez-vous tout le temps les yeux ?

Mon trouble s'accrut de plus belle, cependant, je levai la tête. Elle souriait encore, mais d'un autre sourire, d'un sourire où il y avait de l'approbation.

– Regardez-moi bien, fit-elle en baissant la voix avec une intonation câline... Cela ne m'est pas désagréable... Votre mine me revient et je sens que nous allons devenir de grands amis... Et moi, est-ce que je vous plais ? conclut-elle, insidieuse.

– Princesse... commençai-je.

– D'abord, appelez-moi Zinaïda Alexandrovna... Ensuite, qu'est-ce que c'est que cette habitude qu'ont les enfants – elle se reprit – je veux dire les jeunes gens de cacher leurs vrais sentiments ? C'est bon pour les grandes personnes. N'est-ce pas que je vous plais ?

J'aimais, certes, sa franchise, mais n'en fus pas moins légèrement offusqué. Afin de lui faire voir qu'elle n'avait pas affaire à un enfant, je pris – autant que cela me fut possible – un air grave et désinvolte :

– Mais oui, vous me plaisez beaucoup, Zinaïda Alexandrovna, et je ne veux point le cacher.

Elle secoua doucement la tête.

– Avez-vous un précepteur ? me demanda-t-elle à brûle-pourpoint.

– Non, je n'en ai plus, et depuis longtemps.

Je mentais grossièrement : un mois à peine s'était écoulé depuis le départ du Français.

– Oh ! mais alors vous êtes tout à fait une grande personne !

Elle me donna une légère tape sur les doigts.

– Tenez vos mains droites !

Et elle se remit à enrouler la laine avec application.

Je profitai qu'elle eût baissé les yeux et l'examinai, d'abord à la dérobée, puis de plus en plus hardiment. Son visage me parut encore plus charmant que la veille : tout en lui était fin, intelligent et attrayant. Elle tournait le dos à la fenêtre voilée d'un rideau blanc ; un rai de soleil filtrait à travers le tissu et inondait de lumière ses cheveux flous et dorés, son cou innocent, l'arrondi de ses épaules, sa poitrine tendre et sereine. Je la contemplais et qu'elle me devenait chère et proche ! J'avais l'impression de la connaître depuis longtemps et de n'avoir rien su, rien vécu avant de l'avoir vue... Elle portait une robe de couleur sombre, assez usée, et un tablier. Et j'aurais voulu caresser doucement chaque pli de ses vêtements. Je suis en face d'elle, nous avons fait connaissance. Les bouts de ses petits pieds dépassaient, espiègles, sous la jupe, et j'aurais voulu les adorer à genoux... quel bonheur, mon Dieu ! me disais-je. Je faillis sauter de joie, mais réussis à me contenir et balançai seulement les jambes, comme un enfant qui déguste son dessert.

J'étais heureux comme poisson dans l'eau et, s'il n'avait tenu qu'à moi, je n'aurais jamais quitté cette pièce.

Ses paupières se relevèrent délicatement ; les yeux clairs brillèrent d'un doux éclat et elle me sourit de nouveau.

– Comme vous me regardez, fit-elle lentement en me menaçant du doigt.

Je devins cramoisi... « Elle se doute de tout, elle voit tout, me dis-je tragiquement. D'ailleurs, pourrait-il en être autrement ? »

Subitement, un bruit dans la pièce contiguë, le cliquetis d'un sabre.

– Zina ! cria la princesse. Belovzorov t'a apporté un petit chat !

– Un petit chat ! s'exclama Zinaïda.

Elle se leva d'un bond, me jeta l'écheveau sur les genoux et sortit précipitamment.

Je me levai également, posai la laine sur le rebord de la fenêtre, passai au salon et m'arrêtai, stupéfait, sur le pas de la porte. Un petit chat tigré était couché au milieu de la pièce, les pattes écartées ; à genoux devant lui, Zinaïda lui soulevait le museau avec précaution. À côté de sa mère, entre les deux croisées, se tenait un jeune hussard, beau garçon, les cheveux blonds et bouclés, le teint rose, les yeux saillants.

– Qu'il est drôle ! répétait Zinaïda, mais ses yeux ne sont pas du tout gris, ils sont verts... et comme il a de grandes oreilles !... Merci, Victor Egorovitch... Vous êtes un amour.

Le hussard, en qui j'avais reconnu l'un des jeunes gens de la veille, sourit et s'inclina en faisant sonner ses éperons et la bélière de son sabre.

– Hier, vous exprimâtes le désir d'avoir un petit chat tigré à longues oreilles. Vos désirs sont des ordres !

Il s'inclina de nouveau.

Le petit chat miaula faiblement et se mit à explorer le plancher du bout de son museau.

– Oh, il a faim ! s'écria Zinaïda... Boniface !... Sonia ! Vite, du lait !

Une bonne, qui portait une vieille robe jaune et un foulard décoloré autour du cou, entra dans la pièce, apportant une soucoupe de lait qu'elle déposa devant la petite bête. Le chat frissonna, ferma les yeux et commença de laper.

– Comme sa langue est petite et toute rouge, observa Zinaïda en baissant la tête presque au niveau du museau.

Le petit chat, repu, fit ronron. Zinaïda se releva et ordonna à la bonne de l'emporter, d'un ton parfaitement indifférent.

– Votre main, pour le petit chat, sourit le hussard en cambrant son corps d'athlète sanglé dans un uniforme flambant neuf.

– Les deux ! répondit Zinaïda.

Pendant qu'il lui baisait les mains, elle me regarda par-dessus son épaule.

Je restais planté où j'étais, ne sachant pas trop si je devais rire, émettre une sentence ou me taire.

Tout à coup, j'aperçus, par la porte entrouverte du vestibule, Théodore, notre domestique, qui me faisait des signes. Je sortis, machinalement.

– Que veux-tu ? lui demandai-je.

– Votre maman m'envoie vous chercher, répondit-il à mi-voix... On vous en veut de n'être pas revenu apporter la réponse.

– Mais y a-t-il donc si longtemps que je suis ici ?

– Plus d'une heure.

– Plus d'une heure ! répétai-je malgré moi.

Il ne me restait plus qu'à rentrer au « salon » et prendre congé.

– Où allez-vous ? me demanda la jeune princesse, en me fixant toujours par-dessus l'épaule du hussard.

– Il faut que je rentre... Je vais dire que vous avez promis de venir vers une heure, ajoutai-je en m'adressant à la matrone.

– C'est cela, jeune homme.

Elle sortit une tabatière et prisa si bruyamment que je sursautai.

– C'est cela, répéta-t-elle en clignant ses yeux larmoyants et geignant.

Je saluai encore une fois et quittai la pièce, gêné, comme tout adolescent qui sent qu'un regard est attaché à son dos.

– Revenez nous voir, m'sieur Voldémar ! cria Zinaïda, en éclatant de rire de nouveau.

« Pourquoi rit-elle tout le temps ? » me demandais-je en rentrant en compagnie de Théodore. Le domestique marchait à quelques pas derrière et ne disait rien, mais je sentais qu'il me désapprouvait. Ma mère me gronda et se montra surprise que je me fusse tellement attardé chez la princesse. Je ne répondis rien et montai dans ma chambre.

Et tout soudain, je fus submergé par une immense vague de détresse... Je retenais mes larmes prêtes à couler... J'étais affreusement jaloux du hussard...

5

La princesse vint voir ma mère, comme elle l'avait promis. Elle lui déplut. Je n'assistai pas à l'entretien, mais, à table, maman déclara à mon père que cette princesse Zassekine lui avait produit l'impression « d'une femme bien vulgaire », qu'elle l'avait terriblement ennuyée avec ses sollicitations et ses prières d'intervenir auprès du prince Serge, qu'elle avait des procès en masse – « de vilaines affaires d'argent » – et devait être une grande chicanière. Néanmoins, ma mère ajouta qu'elle avait invité le lendemain, à dîner, la princesse avec sa fille (en entendant « et sa fille », je plongeai le nez dans mon assiette) et justifia cette invitation par le fait que c'était une voisine et « quelqu'un de la noblesse » par-dessus le marché.

À cela, mon père répondit qu'il avait connu, dans sa jeunesse, le prince Zassekine, un homme très bien élevé, mais lunatique et sans cervelle. Ses amis l'appelaient « le Parisien » parce qu'il avait fait un long séjour dans la capitale française ; extrêmement riche, puis ruiné au jeu, il avait épousé – on ne sut jamais pourquoi, peut-être pour sa dot – la fille d'un magistrat (là-dessus mon père ajouta qu'il aurait pu trouver mieux). Après le mariage, s'étant mis à jouer à la Bourse, il se serait définitivement ruiné.

– Pourvu qu'elle ne vienne pas m'emprunter de l'argent ! soupira ma mère.

– Cela n'aurait rien de surprenant, observa mon père, sans s'émouvoir. Sait-elle parler français ?

– Très mal.

– Hum... À vrai dire, cela n'a pas d'importance... Tu viens de dire, je crois, que tu as invité sa fille avec elle. On m'a affirmé que c'était une personne aimable et fort instruite.

– Tiens !... Il faut croire qu'elle ne ressemble pas à sa mère ! rétorqua maman.

– Ni à son père ! Celui-là avait de l'éducation, mais était bête.

Ma mère soupira de nouveau et devint songeuse. Mon père se tut. Je m'étais senti terriblement gêné durant tout ce dialogue.

À l'issue du repas, je descendis au jardin, mais sans fusil. Je m'étais juré de ne point m'approcher de la « palissade des Zassekine », mais une force invisible m'y attirait – et pour cause !

À peine y étais-je parvenu que j'aperçus Zinaïda. Elle était seule, dans un sentier, un livre à la main, pensive. Elle ne me remarqua pas.

Je faillis la laisser passer, puis, me reprenant au dernier moment, je toussotai.

Elle se retourna, mais sans s'arrêter, écarta de la main le large ruban d'azur de sa capeline, me dévisagea, sourit doucement et reprit sa lecture.

J'ôtai ma casquette et m'éloignai, le cœur gros, après quelques instants d'hésitation.

« Que suis-je pour elle ? » me dis-je en français – je ne sais pourquoi.

Un pas familier résonna derrière mon dos ; c'était mon père qui me rejoignait de sa démarche légère et rapide.

– C'est cela, la jeune princesse ? me demanda-t-il.

– Oui, c'est elle.

– Tu la connais donc ?

– Oui, je l'ai vue ce matin chez sa mère.

Mon père s'arrêta net, fit brusquement demi-tour et rebroussa chemin. Parvenu au niveau de la jeune fille, il la salua courtoisement. Elle lui répondit avec une gentillesse mêlée de surprise et lâcha son livre. Je m'aperçus qu'elle suivait mon père du regard.

Mon père était toujours vêtu avec beaucoup de recherche et de distinction, alliée à une parfaite simplicité, mais jamais sa taille ne m'avait paru aussi svelte, jamais son chapeau gris n'avait reposé avec plus d'élégance sur ses boucles à peine clairsemées.

Je me dirigeai vers Zinaïda, mais elle ne m'accorda pas même un regard, reprit son livre et s'éloigna.

6

Je passai toute la soirée et toute la matinée du lendemain dans une sorte de torpeur mélancolique. J'essayai de me mettre au travail, ouvris le Kaïdanov, mais en vain : les larges strophes et les pages du célèbre manuel défilaient devant moi, sans franchir la barrière des yeux. Dix fois de suite, je relus cette phrase : « Jules César se distinguait par sa vaillance au combat. » Je n'y comprenais goutte, aussi finis-je par renoncer. Avant le dîner, je repommadai mes cheveux, passai ma petite redingote et ma cravate neuve.

– À quoi bon ? me demanda ma mère... Tu n'es pas encore à la Faculté et Dieu sait si tu y seras un jour... D'ailleurs, on vient de te faire une veste et tu ne vas pas la quitter au bout de quelques jours.

– Mais... nous attendons des invités, balbutiai-je, la détresse au cœur.

– Oh, pour ce qu'ils valent !

Il fallait m'exécuter. Je remplaçai la petite redingote par la veste, mais je gardai ma cravate.

La princesse et sa fille se présentèrent avec une bonne demi-heure d'avance. La matrone avait mis un châle jaune par-dessus la robe verte que je connaissais déjà et portait, en outre, un bonnet démodé à rubans feu.

Dès l'abord, elle se mit à parler de ses lettres de charge, soupirant, se plaignant de sa misère, geignant à fendre le cœur et prisant son tabac aussi bruyamment que chez elle. Elle semblait avoir oublié son titre de princesse, remuait sur sa chaise, se tournait de tous les côtés et produisait sur ses hôtes un effet désastreux.

Zinaïda, au contraire, très fière et presque austère, se tenait comme une vraie princesse. Son visage était froid, immobile et grave : je ne la reconnaissais plus – ni son regard, ni son sourire, mais elle me semblait encore plus adorable sous ce nouveau jour.

Elle avait mis une robe légère, de basin, avec des arabesques bleu pâle ; ses cheveux descendaient en longues boucles et encadraient son visage, à l'anglaise, et cette coiffure s'accordait à ravir avec l'expression froide de ses traits. Mon père était assis à côté d'elle et lui parlait avec sa courtoisie raffinée et sereine. De temps en temps, il la fixait, et elle le dévisageait aussi avec une expression bizarre, presque hostile. Ils s'exprimaient en français et je me souviens d'avoir été frappé par la pureté impeccable de l'accent de la jeune fille.

Quant à la vieille princesse, elle se tenait toujours avec le même sans-gêne, mangeait pour quatre et faisait des compliments pour les plats qu'on lui servait.

Sa présence semblait importuner ma mère, qui répondait à toutes ses questions avec une sorte de dédain attristé ; mon père avait, parfois, un froncement de sourcils, à peine perceptible.

Pas plus que la vieille princesse, Zinaïda n'eut l'heur de plaire à ma mère :

– Beaucoup trop fière, déclara-t-elle le jour suivant... Et il n'y a vraiment pas de quoi, avec sa mine de grisette.

– Tu n'as probablement jamais vu de grisettes, lui rétorqua mon père.

– Dieu m'en garde !... Je ne me porte pas plus mal pour cela !...

– Tu ne t'en portes pas plus mal, c'est certain... mais alors comment se fait-il que tu croies pouvoir les juger ?

Durant tout le repas, Zinaïda n'avait pas daigné faire la moindre attention à ma pauvre personne. Peu après le dessert, la matrone commença à faire ses adieux.

– Je compte sur votre protection, Maria Nicolaïévna et Piotr Vassiliévitch, fit-elle en s'adressant à mes parents d'une voix traînante... Que voulez-vous ? Finis les beaux jours ! Je porte le titre de sérénissime, ajouta-t-elle avec un ricanement désagréable, mais à quoi cela m'avance-t-il, je vous le demande, si j'ai l'estomac vide ?

Mon père la salua cérémonieusement et la reconduisit jusqu'à la porte de l'antichambre. Je me tenais à côté de lui, dans ma veste étriquée, les yeux fixés au sol, comme un condamné à mort. La façon dont Zinaïda m'avait traité m'avait complètement anéanti. Quel ne fut donc pas mon étonnement lorsque, en passant devant moi, elle me souffla rapidement, le regard câlin : « Venez chez nous à huit heures. Vous m'entendez, venez sans faute... » J'ouvris les bras tout grands, de stupéfaction, mais elle était déjà partie, après avoir jeté un fichu blanc sur ses cheveux.

7

À huit heures précises, affublé de ma petite redingote et les cheveux en coque, je me présentais dans le vestibule du pavillon de la princesse. Le vieux majordome me dévisagea d'un œil morne et ne montra qu'un piètre empressement à se lever de sa banquette. Des voix joyeuses me parvenaient du salon. J'ouvris la porte et reculai, stupéfait. Zinaïda se tenait debout, sur une chaise, au beau milieu de la pièce, tenant un haut-de-forme ; cinq hommes faisaient cercle autour d'elle, essayant de plonger la main dans le chapeau qu'elle soulevait toujours plus haut, en le secouant énergiquement.

Quand elle m'aperçut, elle s'écria aussitôt :

– Attendez, attendez ! Voici un nouveau convive !... Il faut lui donner aussi un petit papier !

Et, quittant sa chaise d'un bond, elle s'approcha de moi et me tira par la manche :

– Venez donc !... Pourquoi restez-vous là ? Mes amis, je vous présente M. Voldémar, le fils de notre voisin. Et ces messieurs que vous voyez sont : le comte Malevsky, le docteur Louchine, le poète Maï-danov, Nirmatzky, un capitaine en retraite, et Belov-zorov, le hussard que vous avez déjà vu hier. J'espère que vous allez vous entendre avec eux.

Dans ma confusion, je n'avais salué personne. Le docteur Louchine n'était autre que l'homme brun qui m'avait infligé une si cuisante leçon, l'autre jour, au jardin. Je ne connaissais pas les autres.

– Comte ! reprit Zinaïda, préparez donc un petit papier pour M. Voldémar.

Le comte était un joli garçon, tiré à quatre épingles, avec des cheveux noirs, des yeux bruns très expressifs, un nez mince et une toute petite mous-tache, surmontant des lèvres minuscules.

– Cela n'est pas juste, objecta-t-il : monsieur n'a pas joué aux gages avec nous.

– Bien sûr, convinrent en chœur Belovzorov et celui qui m'avait été présenté comme un capitaine en retraite.

Âgé de quelque quarante ans, le visage fortement marqué de petite vérole, il avait les cheveux frisés comme un Arabe, les épaules voûtées, les jambes arquées. Il portait un uniforme sans épaulettes et déboutonné.

– Faites le papier, puisque je vous l'ai dit, répéta la jeune fille... Qu'est-ce que c'est que cette mutinerie ? C'est la première fois que nous recevons M. Voldé-mar dans notre compagnie, et il ne sied pas de lui appliquer la loi avec trop de rigueur. Allons, ne ron-chonnez pas. Écrivez. Je le veux !

Le comte ébaucha un geste désapprobateur, mais baissa docilement la tête, prit une plume dans sa main blanche, aux doigts couverts de bagues, arra-cha un morceau de papier et se mit à écrire.

– Permettez au moins que nous expliquions le jeu à M. Voldémar, intervint Louchine, sarcastique... Car il a complètement perdu le nord... Voyez-vous, jeune homme, nous jouons aux gages : la princesse est à l'amende et celui qui tirera le bon numéro aura le droit de lui baiser la main. Vous avez saisi ?

Je lui jetai un vague coup d'œil, mais restai planté, immobile, perdu dans un rêve nébuleux. Zinaïda sauta de nouveau sur sa chaise et se remit à agiter le chapeau. Les autres se pressèrent autour d'elle et je fis comme eux.

– Maïdanov ! dit Zinaïda à un grand jeune homme, au visage maigre, aux petits yeux de myope, avec des cheveux noirs et exagérément longs... Maïdanov, vous devriez faire acte de charité et céder votre petit papier à M. Voldémar, afin qu'il ait deux chances au lieu d'une.

Maïdanov fit un signe de tête négatif, et ce geste dispersa sa longue crinière.

Je plongeai ma main le dernier dans le chapeau, pris le billet, le dépliai... Oh ! mon Dieu : un baiser ! Je ne saurais vous dire ce que j'éprouvai en lisant ce mot.

– Un baiser ! m'exclamai-je malgré moi.

– Bravo !... Il a gagné ! applaudit la princesse... J'en suis ravie !

Elle descendit de la chaise et me regarda dans les yeux avec tant de douce clarté que mon cœur tressaillit.

– Et vous, êtes-vous content ? me demanda-t-elle.

– Moi... balbutiai-je.

– Vendez-moi votre billet, me chuchota Belovzorov. Je vous en donne cent roubles.

Je lui répondis en lui jetant un regard tellement indigné que Zinaïda applaudit et Louchine cria :

– Bien fait !

– Pourtant, poursuivit-il, en ma qualité de maître des cérémonies, je dois veiller à la stricte observance de toutes les règles. Monsieur Voldémar, mettez genou en terre : c'est le règlement.

Zinaïda s'arrêta en face de moi, en penchant la tête de côté, comme pour mieux me voir, et me tendit gravement la main. Je n'y voyais pas clair... Je voulus mettre un genou en terre, mais tombai à deux genoux et portai si maladroitement les lèvres à la main de la jeune fille que son ongle m'égratigna le bout du nez.

– Parfait ! s'écria Louchine en m'aidant à me relever.

On se remit à jouer aux gages. Zinaïda me fit asseoir à côté d'elle.

Quelles amendes saugrenues n'inventait-elle pas ! Une fois, elle fit, elle-même, la « statue » et, choisissant pour piédestal le laid Nirmatzky, elle l'obligea à s'allonger par terre et à cacher, de plus, son visage dans sa poitrine.

Nous ne cessions de rire aux éclats. Tout ce bruit, ce vacarme, cette joie tapageuse et presque indécente, ces rapports inattendus avec des personnes que je connaissais à peine – tout cela me produisit une impression considérable, d'autant plus que l'éducation reçue avait fait de moi un ours, un garçon sobre, bourgeois et très collet monté. Je me sentais ivre sans avoir bu. Je riais et criais plus fort que les autres, si bien que la vieille princesse, qui recevait à côté un homme de loi de la porte Iverskaïa, convoqué en consultation, se montra à la porte et me regarda sévèrement.

Mais j'étais si parfaitement heureux qu'il ne m'importait guère d'être ridicule ou mal vu. Zinaïda continuait à me favoriser et me gardait auprès d'elle. L'un des « pensums » voulut que je restasse avec elle, sous un châle, afin de lui confesser mon « secret ».

Nos deux visages se trouvèrent tout à coup isolés du reste du monde, enveloppés dans une obscurité étouffante, opaque, parfumée ; ses yeux brillaient comme deux étoiles dans cette pénombre ; ses lèvres entrouvertes exhalaient leur tiédeur, découvrant ses dents blanches ; ses cheveux me frôlaient, me brûlaient. Je me taisais. Elle me souriait d'un air énigmatique et moqueur. En fin de compte, elle me souffla :

– Eh bien ?

Las ! je ne pouvais que rougir, ricaner, me détourner en respirant péniblement.

Le jeu des gages finit par ennuyer, et l'on passa à celui de la ficelle. Mon Dieu, quelle ne fut pas ma joie quand elle me frappa fortement sur les doigts, pour me châtier d'un moment de distraction... Après cela, je feignis exprès d'être dans les nuages, mais elle ne me toucha plus les mains que je tendais et se contenta de me taquiner !

Que n'avons-nous pas imaginé au cours de cette soirée : piano, chants, danses, fête tzigane. On déguisa Nirmatzky en ours et lui fit boire de l'eau salée. Le comte Malevsky fit le prestidigitateur avec un jeu de cartes ; après quoi, ayant battu le jeu, il nous le distribua comme pour une partie de whist, mais en gardant tous les atouts. Là-dessus, Louchine annonça qu'il avait « l'honneur de l'en féliciter ». Maïdanov nous déclama des extraits de son dernier poème, « L'Assassin » (l'on était en plein romantisme). Il se proposait de le publier avec une couverture noire et le titre tiré en caractères rouge sang. Nous volâmes le chapeau de l'homme de loi et l'obligeâmes à nous exécuter une danse russe en guise de rançon. Le vieux Boniface fut obligé de s'affubler d'un bonnet de femme, tandis que Zinaïda se coiffait d'un chapeau d'homme... Et d'ailleurs je renonce à vous énumérer toutes les fantaisies qui nous passaient par la tête... Seul, Belovzorov se tenait renfrogné dans un coin et ne dissimulait pas sa mauvaise humeur... Par moments, ses yeux s'injectaient de sang ; il devenait cramoisi et semblait prêt à se jeter au milieu de nous pour nous faire chavirer comme des quilles. Mais il suffisait que notre hôtesse le regardât sévèrement et le menaçât du doigt pour qu'il se retirât de nouveau dans sa solitude.

À la fin, nous étions à bout de souffle et la vieille princesse elle-même – qui nous avait déclaré tout à l'heure qu'elle était inlassable et que le vacarme le plus bruyant ne la dérangeait pas – s'avoua fatiguée.

Le souper fut servi passé onze heures. Il se composait d'un bout de fromage complètement desséché et de friands froids que je trouvai plus délicieux que tous les pâtés du monde. Il n'y avait qu'une seule bouteille de vin, et fort bizarre en vérité : elle était presque noire, avec un goulot évasé et contenait un vin qui sentait la peinture à l'huile. Personne n'en prit.

Je pris congé, heureux et las. En me disant adieu, Zinaïda me serra de nouveau la main très fort et avec un sourire énigmatique.

Le souffle lourd et moite de la nuit fouettait mes joues en feu. L'air était à l'orage. Des nuages sombres s'amoncelaient au ciel, se déplaçaient lentement, modifiant à vue d'œil leurs contours fugaces. Une brise légère faisait frémir d'inquiétude les arbres noirs. Quelque part au loin, le tonnerre grondait, sourd et courroucé.

Je me faufilai dans ma chambre par l'entrée de service. Mon domestique dormait sur le parquet, et il me fallut l'enjamber. Il se réveilla, m'aperçut et m'annonça que ma mère très en colère contre moi avait voulu envoyer me chercher, mais mon père l'avait retenue.

Je ne me couchais jamais avant d'avoir souhaité une bonne nuit à maman et demandé sa bénédiction. Ce soir-là, il était manifestement trop tard.

Je déclarai au domestique que j'étais parfaitement capable de me déshabiller et de me coucher seul et soufflai ma chandelle.

En réalité, je m'assis sur une chaise et restai longtemps immobile, comme sous l'effet d'un charme. Ce que j'éprouvais était si neuf, si doux... Je ne bougeais pas, regardant à peine autour de moi, la respiration lente. Tantôt, je riais tout bas en évoquant un souvenir récent, tantôt je frémissais en songeant que j'étais amoureux et que c'était bien cela, l'amour. Le beau visage de Zinaïda surgissait devant mes yeux, dans l'obscurité, flottait doucement, se déplaçait, mais sans disparaître. Ses lèvres ébauchaient le même sourire énigmatique, ses yeux me regardaient, légèrement à la dérobée, interrogateurs, pensifs et câlins... comme à l'instant des adieux. En fin de compte, je me levai, marchai jusqu'à mon lit, sur la pointe des pieds, en évitant tout mouvement brusqué, comme pour ne pas brouiller l'image, et posai ma tête sur l'oreiller, sans me dévêtir...

Puis, je me couchai, mais sans fermer les yeux et m'aperçus bientôt qu'une pâle clarté pénétrait dans ma chambre. Je me soulevai pour jeter un coup d'œil à travers la croisée. Le cadre de la fenêtre se détachait nettement des vitres qui avaient un éclat mystérieux et blanchâtre. « C'est l'orage », me dis-je. C'en était un effectivement, mais tellement distant qu'on n'entendait même pas le bruit du tonnerre. Seuls, de longs éclairs blêmes zigzaguaient au ciel, sans éclater et en frissonnant comme l'aile d'un grand oiseau blessé...

Je me levai et m'approchai de la croisée. J'y restai jusqu'au petit jour... Les éclairs balafraient le firmament – une vraie nuit de Walpurgis... Immobile et muet, je contemplais l'étendue sablonneuse, la masse sombre du jardin Neskoutchny, les façades jaunâtres des maisons, qui semblaient tressaillir aussi à chaque éclair.

Je contemplais ce tableau et ne pouvais en détacher mon regard : ces éclairs muets et discrets s'accordaient parfaitement aux élans secrets de mon âme.

L'aube commençait à poindre, en taches écarlates. Les éclairs pâlissaient et se raccourcissaient à l'approche du soleil. Leur frisson se faisait de plus en plus espacé : ils disparurent enfin, submergés par la lumière sereine et franche du jour naissant...

Et dans mon âme aussi, l'orage se tut, j'éprouvais une lassitude infinie et un grand apaisement... mais l'image triomphante de Zinaïda me hantait encore. Elle semblait plus sereine, à présent, et se détachait de toutes les visions déplaisantes, comme le cygne élève son cou gracieux par-dessus les herbes du marécage. Au moment de m'endormir, je lui envoyai encore un baiser rempli de confiante admiration...

Sentiments timides, douce mélodie, franchise et bonté d'une âme qui s'éprend, joie languide des premiers attendrissements de l'amour, où êtes-vous ?

8

Le lendemain matin, lorsque je descendis pour le thé, ma mère me gronda – moins fort, pourtant, que je ne m'y attendais – et me demanda de lui dire comment j'avais passé la soirée de la veille. Je lui répondis brièvement, en omettant de nombreux détails, m'efforçant de donner à l'ensemble un caractère tout à fait anodin.

– Tu as beau dire, ce ne sont pas des gens comme il faut, conclut ma mère... Et tu ferais mieux de préparer tes examens que d'aller chez eux.

Comme je savais que tout l'intérêt que maman portait à mes études se bornerait à cette phrase, je ne crus pas utile de lui répondre. Mon père, lui, me prit par le bras sitôt après le thé, m'entraîna au jardin et me demanda de lui faire un récit détaillé de tout ce que j'avais vu chez les Zassekine.

Quelle étrange influence il exerçait sur moi, et comme nos relations étaient bizarres ! Mon père ne s'occupait pratiquement pas de mon éducation, ne m'offensait jamais et respectait ma liberté. Il était même « courtois » avec moi, si l'on peut dire... mais se tenait ostensiblement à l'écart. Je l'aimais, je l'admirais, faisais de lui mon idéal et me serais passionnément attaché à lui s'il ne m'avait repoussé tout le temps. Mais, quand il le pouvait, il était capable de m'inspirer une confiance sans bornes, d'un seul mot, d'un geste ; mon âme s'ouvrait à lui, comme à un ami plein de bon sens et à un précepteur indulgent... Et puis, subitement, sa main me repoussait, sans brusquerie, certes, mais, tout de même, elle me repoussait.

Il lui arrivait d'avoir de véritables accès de joie ; alors, il était prêt à folâtrer avec moi, à s'amuser comme un collégien (en général, mon père aimait tous les exercices violents) ; un jour – un jour seulement ! – il me caressa avec tant de tendresse que je faillis fondre en larmes... Malheureusement, sa gaieté et son affection s'évanouissaient rapidement et sans laisser de traces, et notre entente passagère ne présageait pas plus nos relations futures que si je l'avais rêvée.

Quelquefois, je contemplais son beau visage, intelligent et ouvert... mon cœur tressaillait, et tout mon être s'élançait vers lui... il me récompensait d'une caresse, au passage, comme s'il s'était douté de ce que je sentais, et s'en allait, s'occupait d'autre chose, affectait une froideur dont lui seul possédait le secret ; et moi, de mon côté, je me repliais, me recroquevillais, me glaçais.

Ses rares accès de tendresse n'étaient jamais provoqués par ma supplication muette, mais se produisaient spontanément et toujours à l'improviste. En réfléchissant, plus tard, à son naturel, j'ai abouti à la conclusion suivante : mon père ne s'intéressait pas plus à moi-même qu'à la vie de famille, en général ; il aimait autre chose, et cela, il réussit à en jouir à fond.

– Prends ce que tu peux, mais ne te laisse jamais prendre ; ne s'appartenir qu'à soi-même, être son propre maître, voici tout le secret de la vie, me dit-il un jour.

Une autre fois, comme je m'étais lancé dans une discussion sur la liberté, en jeune démocrate que j'étais alors (cela se passait un jour que mon père était « bon » et qu'on pouvait lui parler de n'importe quoi), il me répliqua vertement :

– La liberté ? Mais sais-tu seulement ce qui peut la donner à l'homme ?

– Quoi donc ?

– Sa volonté, ta volonté. Si tu sais t'en servir, elle te donnera mieux encore : le pouvoir. Sache vouloir et tu seras libre, et pourras commander.

Par-dessus toute chose, mon père voulait jouir de la vie, et l'a fait... Peut-être aussi avait-il le pressentiment de n'en avoir pas pour longtemps : le fait est qu'il mourut à quarante-deux ans.

Je lui racontai tout le détail de ma visite chez les Zassekine. Il m'écouta, tour à tour attentif et distrait, en dessinant des arabesques sur le sable du bout de sa cravache. Parfois, il avait un petit rire amusé et m'encourageait d'une question brève ou d'une objection. Au début, je n'osai même pas prononcer le nom de Zinaïda, mais, au bout de quelque temps, je n'y tins plus et me lançai dans un dithyrambe. Mon père souriait toujours. Puis il devint songeur, s'étira et se leva.

Avant de partir, il fit seller son cheval. C'était un cavalier émérite, versé dans l'art de dompter les bêtes les plus impétueuses, bien avant M. Réri.

– Je t'accompagne, père ?

– Non, répondit-il, et son visage reprit son expression accoutumée d'indifférente douceur. Vas-y seul, si tu veux ; moi, je vais dire au cocher que je reste.

Il me tourna le dos et s'éloigna à grands pas. Je le suivis du regard. Il disparut derrière la palissade. J'aperçus son chapeau qui se déplaçait le long de la palissade. Il entra chez les Zassekine.

Il n'y resta guère plus d'une heure, mais aussitôt après cette visite, il partit en ville et ne rentra que dans la soirée.

Après le déjeuner, je me rendis moi-même chez la princesse. La matrone était seule, au « salon ». En me voyant, elle se gratta la tête, sous le bonnet, avec son aiguille à tricoter, et me demanda à brûle-pourpoint si je pouvais lui copier une requête.

– Avec plaisir, répondis-je, en m'asseyant sur une chaise, tout à fait sur le rebord.

– Seulement, tâchez d'écrire gros, fit la princesse en me tendant une feuille gribouillée par elle. Pouvez-vous me le faire aujourd'hui même ?

– Certainement, princesse.

La porte de la pièce voisine s'entrouvrit légèrement et le visage de Zinaïda apparut dans l'encadrement, un visage pâle, pensif, les cheveux négligemment rejetés en arrière. Elle me regarda froidement de ses grands yeux gris et referma doucement la porte.

– Zina !... Zina !... appela la vieille princesse.

Elle ne répondit pas.

J'emportai la requête et passai toute la soirée à la recopier.

9

Ma « passion » date de ce jour-là. Je me souviens d'avoir éprouvé un sentiment fort analogue à ce que doit vivre un employé qui vient d'obtenir son premier engagement : je n'étais plus un jeune garçon tout court, mais un amoureux.

Ma passion date de ce jour-là, ai-je dit ; je pourrais ajouter qu'il en est de même pour ma souffrance.

Je dépérissais à vue d'œil quand Zinaïda n'était pas là : j'avais la tête vide, tout me tombait des mains et je passais mes journées à penser à elle... Je dépérissais loin d'elle, ai-je dit... N'allez pas croire, pour cela, que je me sentisse mieux en sa présence... Dévoré de jalousie, conscient de mon insignifiance, je me vexais pour un rien et adoptais une attitude sottement servile. Et pourtant, une force invincible me poussait dans le petit pavillon, et, malgré moi, je tressaillais de bonheur en franchissant le pas de « sa » porte.

Zinaïda s'aperçut très vite que je l'aimais : d'ailleurs, je ne m'en cachais pas. Elle en fut amusée et commença à rire de ma passion, à me tourner en bourrique, à me faire goûter les pires supplices. Quoi de plus agréable que de sentir que l'on est la source unique, la cause arbitraire et irresponsable des joies et des malheurs d'autrui ?... C'était précisément ce qu'elle faisait, et moi, je n'étais qu'une cire molle entre ses doigts cruels.

Remarquez, toutefois, que je n'étais pas seul à être amoureux d'elle : tous ceux qui l'approchaient étaient littéralement fous d'elle, et elle les tenait, en quelque sorte, en laisse, à ses pieds. Tour à tour, elle s'amusait à leur inspirer l'espoir et la crainte, les obligeait à agir comme des marionnettes et selon son humeur du moment (elle appelait cela « faire buter les hommes les uns contre les autres ») ; ils ne songeaient même pas à résister et se soumettaient bénévolement à tous ses caprices.

Sa beauté et sa vivacité constituaient un mélange curieux et fascinant de malice et d'insouciance, d'artifice et d'ingénuité, de calme et d'agitation. Le moindre de ses gestes, ses paroles les plus insignifiantes dispensaient une grâce charmante et douce, alliée à une force originale et enjouée. Son visage changeant trahissait presque en même temps l'ironie, la gravité et la passion. Les sentiments les plus divers, aussi rapides et légers que l'ombre des nuages par un jour de soleil et de vent, passaient sans cesse dans ses yeux et sur ses lèvres.

Zinaïda avait besoin de chacun de ses admirateurs. Belovzorov, qu'elle appelait parfois « ma grosse bête » ou « mon gros » tout court, aurait consenti à se jeter au feu pour elle. Ne se fiant pas trop à ses propres avantages intellectuels, ni à ses autres qualités, il lui offrait tout bonnement de l'épouser, en insinuant qu'aucun des autres prétendants n'aspirait à la même issue.

Maïdanov répondait aux penchants poétiques de son âme. C'était un homme assez froid, comme beaucoup d'écrivains ; à force de lui répéter qu'il l'adorait, il avait fini, lui-même, par y croire. Il la chantait dans des vers interminables qu'il lui lisait dans une sorte d'extase délirante, mais parfaitement sincère. Zinaïda compatissait à ses illusions, mais se moquait de lui, ne le prenait pas trop au sérieux et, après avoir écouté ses épanchements, lui demandait invariablement de réciter du Pouchkine, « histoire d'aérer un peu », disait-elle...

Le docteur Louchine, personnage caustique et plein d'ironie, la connaissait et l'aimait mieux qu'aucun de nous – ce qui ne l'empêchait jamais de médire d'elle, en son absence comme en sa présence. Elle l'estimait, mais ne lui pardonnait pas toutes ses saillies et prenait une sorte de plaisir sadique à lui faire sentir que lui aussi n'était qu'une marionnette dont elle tirait les ficelles.

– Moi, je suis une coquette, une sans-cœur, affligée d'un tempérament de comédienne, lui déclara-t-elle un jour en ma présence... Et vous, vous prétendez être un homme franc... Nous allons voir cela. Donnez-moi votre main, je vais y enfoncer une épingle... Vous aurez honte devant ce jeune homme et ne ferez pas voir que vous aurez mal... Vous en rirez, n'est-ce pas, monsieur la Franchise ?... Du moins, je vous l'ordonne !

Louchine rougit et se mordit les lèvres, se détourna, mais finit par tendre la main. Elle piqua l'épingle. Il se mit à rire, effectivement... elle riait aussi, et enfonçait la pointe toujours plus profondément dans sa chair, en le fixant dans les yeux... Il évitait son regard...

C'étaient les relations de Zinaïda avec le comte Malevsky qui me surprenaient encore le plus. Certes, il était beau garçon, adroit, spirituel ; pourtant même moi, avec mes seize ans, je discernais en lui quelque chose de faux et de troublant. Je m'étonnais que la jeune fille ne s'en aperçût point. Peut-être s'en apercevait-elle, mais sans en être affectée ? Son éducation négligée, ses fréquentations et ses habitudes étranges, la présence constante de sa mère, la pauvreté et le désordre de la maison, tout cela, à commencer par la liberté dont elle jouissait et la conscience de sa supériorité sur son entourage, tout cela, dis-je, avait développé chez elle une sorte de désinvolture pleine de mépris et un manque de discernement moral. Quoi qu'il advînt : Boniface annonçant qu'il ne restait plus de sucre, méchants cancans, brouille entre ses invités, elle se contentait de secouer ses boucles avec insouciance et de s'exclamer :

– Bah ! quelle sottise !

J'étais sur le point de voir rouge toutes les fois que Malevsky s'approchait d'elle de son allure de renard rusé, s'appuyait avec grâce sur le dossier de sa chaise et lui parlait à l'oreille avec un sourire infatué ; elle le regardait fixement, les bras croisés, en secouant doucement la tête, et lui rendait son sourire.

– Quel plaisir avez-vous à recevoir ce monsieur Malevsky ? lui demandai-je un jour.

– Oh ! il a un amour de petite moustache ! répliqua-t-elle. Et puis, à parler franc, vous n'y entendez rien.

– Croyez-vous donc que je l'aime ? me dit-elle une autre fois. Je ne peux pas aimer une personne que je regarde de haut en bas... Il me faudrait quelqu'un qui soit capable de me faire plier, de me dompter... Dieu merci, je ne le rencontrerai jamais !... Je ne me laisserai pas prendre ! Oh non !

– Alors, vous n'aimerez jamais personne ?

– Et vous ? Est-ce que je ne vous aime pas ? s'exclama-t-elle en me donnant une tape sur le bout du nez avec son gant.

Eh oui, elle se divertissait beaucoup à mes dépens. Que ne m'a-t-elle pas fait faire durant les trois semaines où je la vis chaque jour ! Il était rare qu'elle vînt chez nous, et je ne m'en plaignais pas outre mesure, car, à peine entrée, elle prenait ses airs de demoiselle, de princesse, et je me sentais terriblement intimidé.

Je craignais de me trahir devant ma mère : Zinaïda lui était très antipathique et elle nous épiait avec aigreur. Je redoutais moins mon père : celui-là affectait de ne pas faire attention à moi ; quant à Zinaïda, il lui parlait peu, mais avec infiniment d'esprit et de pénétration.

Je n'étudiais plus, ne lisais plus, n'allais même plus me promener aux alentours de la villa et avais oublié mon cheval. Comme un hanneton qui aurait un fil à la patte, je tournais autour du petit pavillon, prêt à y passer toute mon existence... mais cela ne me réussissait pas : ma mère ronchonnait sans arrêt et Zinaïda me chassait parfois elle-même. Alors, je m'enfermais à clef ou m'en allais tout au fond du parc ; là, je montais au faîte d'une serre délabrée et restais des heures durant à contempler la rue, les jambes ballantes, regardant sans rien voir. Des papillons blancs voltigeaient paresseusement sur des orties poussiéreuses, tout près de moi ; un pierrot enjoué se posait sur une brique décrépite, piaillait d'une voix irritée, sautillait sur place et étendait sa petite queue ; encore méfiants, les corbeaux croassaient parfois au sommet d'un bouleau dénudé ; le soleil et le vent jouaient en silence dans ses branches clairsemées ; morne et serein, le carillon du monastère Donskoy résonnait au loin. Et moi, je restais toujours là à regarder, à écouter, à me remplir d'un sentiment ineffable, fait à la fois de détresse et de joie, de désirs et de pressentiments, de vagues appréhensions... Je ne comprenais rien et n'aurais pu donner aucun nom précis à ce qui vibrait en moi... Ou plutôt si, j'aurais pu l'appeler d'un seul nom – celui de Zinaïda.

Quant à la jeune princesse, elle continuait à s'amuser de moi comme le chat d'une souris. Tantôt elle était coquette, et je me sentais fondre dans une allégresse trouble, tantôt elle me repoussait, et je n'osais plus l'approcher ni même la contempler de loin.

Depuis plusieurs jours, elle se montrait particulièrement froide à mon égard, et, complètement découragé, je ne faisais plus au pavillon que des apparitions courtes et furtives, m'efforçant de tenir compagnie à la vieille princesse, bien que celle-ci fût également d'une humeur massacrante, pestant et criant pis que de coutume : ses affaires de lettres de change n'avaient pas l'air de s'arranger et elle avait eu déjà deux explications avec le commissaire de police.

Une fois, je rasais la palissade que vous connaissez bien, lorsque j'aperçus Zinaïda, assise dans l'herbe, appuyée sur son bras, complètement immobile. Je fus sur le point de m'éloigner sur la pointe des pieds, mais elle leva brusquement la tête et me fit un signe impératif. Je restai comme pétrifié, ne comprenant pas, sur le moment, ce qu'elle voulait de moi. Elle répéta son geste. Je sautai par-dessus la palissade et m'approchai d'elle en courant, tout joyeux ; elle m'arrêta du regard en m'indiquant le sentier, à deux pas d'elle. Confus et ne sachant plus quoi faire, je m'agenouillai au bord du chemin. La jeune fille était si pâle, si amèrement triste, si profondément lasse, que mon cœur se serra et, malgré moi, je balbutiai :

– Qu'avez-vous ?

Elle tendit la main, arracha une brindille, la mordilla et la jeta au loin.

– Vous m'aimez beaucoup ? me demanda-t-elle enfin... Oui ?

Je ne répondis rien ; à quoi bon ?

– Oui, oui... reprit-elle, en me dévisageant. Les mêmes yeux...

Pensive, elle se cacha le visage à deux mains.

– ... Tout me dégoûte, poursuivit-elle... Je voudrais être au bout du monde... Je ne peux pas supporter cela... Je ne peux pas m'y habituer... Et l'avenir, qu'est-ce qu'il me réserve ?... Ah ! je suis si malheureuse... Mon Dieu, comme je suis malheureuse !

– Pourquoi ? fis-je timidement.

Elle haussa les épaules sans répondre. J'étais toujours à genoux et la regardais avec une détresse infinie. Chacune de ses paroles m'avait percé le cœur. J'étais prêt à donner ma vie pour qu'elle ne souffrît plus... Ne comprenant pas pourquoi elle était si malheureuse, je me l'imaginais se relevant d'un bond, fuyant au fond du jardin et s'affaissant tout à coup, terrassée par la douleur... Autour de nous, tout était vert et lumineux ; le vent bruissait dans les feuilles des arbres et agitait parfois une longue tige de framboisier au-dessus de ma compagne. Des pigeons roucoulaient quelque part et les abeilles bourdonnaient en rasant l'herbe rare. Au-dessus de nos têtes, un ciel tendre et bleu... et moi j'étais si triste...

— Récitez-moi des vers, reprit Zinaïda en s'accoudant sur l'herbe. J'aime à vous entendre. Vous êtes légèrement déclamatoire, mais peu importe, cela fait jeune... Récitez-moi « Sur les collines de Géorgie ». Mais asseyez-vous d'abord.

Je m'exécutai.

— « Et de nouveau mon cœur s'embrase ; il aime, ne pouvant pas ne plus aimer... » répéta la jeune fille. C'est cela la vraie beauté de la poésie : au lieu de parler de ce qui est, elle chante quelque chose qui est infiniment plus élevé que la réalité et qui, pourtant, lui ressemble davantage... Ne pouvant pas ne plus aimer... Il le voudrait, mais il ne peut...

Elle se tut de nouveau, puis se leva d'un bond.

— Venez, Maïdanov est chez ma mère. Il m'a apporté son poème, et moi, je l'ai laissé tomber... Lui aussi doit avoir du chagrin... que faire ?... Un jour, vous saurez tout... surtout, ne m'en veuillez pas !

Elle me serra vivement la main et courut devant. Nous pénétrâmes dans le pavillon. Maïdanov se mit incontinent à déclamer son « Assassin » qui venait d'être publié. Je ne l'écoutais pas. Il débitait ses tétramètres iambiques d'une voix chantante, les rimes se succédaient avec une sonorité de grelots vides et bruyants. Je regardais Zinaïda et essayais de saisir le sens de ses dernières paroles.

*Ou bien quelque rival secret
T'a-t-il subitement séduite ?*

s'exclama soudain Maïdanov de sa voix nasale, et mes yeux croisèrent ceux de la jeune fille. Elle baissa les siens et rougit légèrement. Mon sang se glaça. J'étais jaloux depuis longtemps, mais à cet instant une idée fulgurante transperça tout mon être : « Mon Dieu ! Elle aime ! »

10

Dès lors, mon vrai supplice commença. Je me creusais la tête, méditais, ruminais et surveillais Zinaïda à toute heure de la journée, en me cachant de mon mieux. Elle avait beaucoup changé, cela ne faisait pas l'ombre d'un doute. Durant de longues heures, je la voyais se promener toute seule. Ou bien, elle s'enfermait dans sa chambre et refusait de voir personne, chose qui ne lui était encore jamais arrivée.

Ma perspicacité s'aiguisait, du moins le croyais-je. « Est-ce lui ?... Ou bien lui ? » me demandais-je, inquiet, en passant en revue tous ses admirateurs. Le comte Malevsky me semblait le plus dangereux de tous (mais j'avais honte de me l'avouer, par considération pour Zinaïda).

Ma perspicacité n'allait pas plus loin et, d'ailleurs, mon secret n'était un mystère pour personne ; en tout cas, le docteur Louchine eut tôt fait de le deviner. À dire vrai, lui aussi avait beaucoup changé depuis quelque temps : il maigrissait à vue d'œil, et son rire devenait plus méchant, plus bref, plus saccadé. Une certaine nervosité avait succédé à son ironie légère et à son cynisme affecté.

Un jour, nous nous trouvâmes en tête à tête dans le salon des Zassekine : Zinaïda n'était pas encore rentrée de sa promenade et la vieille princesse se querellait avec la bonne à l'étage au-dessus.

– Dites-moi, jeune homme, pourquoi passez-vous tout votre temps à traîner par ici ? me demanda-t-il... Vous feriez mieux d'étudier tant que vous êtes jeune, et ce n'est pas du tout ce que vous faites en ce moment.

– Vous n'en savez rien. Qui vous dit que je ne travaille pas chez moi ? rétorquai-je en le prenant d'assez haut, mais non sans montrer quelque trouble.

– Ne me parlez pas d'études ! Vous avez autre chose en tête. Je n'insiste pas... à notre époque, c'est monnaie courante... Laissez-moi vous dire seulement que vous êtes rudement mal tombé... Est-ce que vous ne voyez pas le genre de la maison ?

– Je ne saisis pas...

– Vous ne saisissez pas ?... Eh bien, tant pis pour vous ! Mais il est de mon devoir de vous avertir. Nous autres, vieux célibataires endurcis, pouvons sans crainte fréquenter cette maison : que voulez-vous qu'il nous arrive ? Nous sommes la vieille garde, les durs à cuire, et rien ne nous effraie. Mais vous, vous avez encore une peau trop délicate. Croyez-moi, l'air d'ici ne vous vaut rien... Gare à la contagion !

– Comment cela ?

– Eh, mais tout simplement... Êtes-vous bien portant en ce moment ? Vous trouvez-vous dans votre état normal ? Pensez-vous que vos sentiments actuels puissent servir à quelque chose de bon ?

– Mais quels sont-ils donc mes sentiments présents ? ergotai-je, tout en reconnaissant, dans mon for intérieur, que le docteur avait parfaitement raison.

– Ah ! jeune homme, jeune homme, fit-il en donnant à ces deux mots une intention assez blessante... Allons, ne jouez pas au plus fin. Votre visage vous trahit... Et d'ailleurs, à quoi bon discuter ? Croyez-moi, je n'aurais pas fréquenté cette maison si... (il serra les dents)... si je n'étais pas aussi détraqué que vous... Une seule chose me surprend : comment se fait-il que vous ne voyiez pas ce qui se passe autour de vous... ? Pourtant vous êtes un garçon intelligent...

– Mais que se passe-t-il donc ? dis-je en dressant l'oreille.

Le docteur me dévisagea d'un air de commisération amusée.

– Ce que je peux être bête, murmura-t-il, comme s'il se parlait à lui-même... À quoi bon le lui dire ?... Bref, conclut-il en élevant la voix, laissez-moi vous le répéter : l'atmosphère de céans n'est pas bonne pour vous. Elle vous plaît, me direz-vous – et après ?... L'air de la serre chaude est saturé de parfums, mais nul ne peut y vivre... Écoutez-moi, faites ce que je vous dis et reprenez votre Kaïdanov...

À ces mots, la vieille princesse réapparut au salon et commença à se plaindre de sa rage de dents. Zinaïda arriva peu après elle.

– Tenez, docteur, vous devriez la gronder, dit la matrone : elle passe son temps à prendre de l'eau avec de la glace. C'est très mauvais pour ses poumons.

– Pourquoi faites-vous cela ? demanda Louchine.

– Que peut-il en résulter ?

– Vous pouvez prendre un refroidissement et mourir.

– Vraiment ?... Pas possible !... Eh bien, tant mieux !

– Ah ! ah ! voilà où nous en sommes, grommela le docteur.

La vieille se retira.

– Mais oui, répliqua Zinaïda... Croyez-vous que la vie soit toujours gaie ? Regardez un peu autour de vous... Est-ce que tout va bien ?... pensez-vous que je ne m'en aperçoive pas ? Cela m'amuse de boire de l'eau avec de la glace, et vous, vous venez me déclarer sentencieusement qu'une telle vie ne vaut pas d'être risquée pour un instant de plaisir... Je ne parle même pas d'un instant de bonheur...

– Oui, oui, dit Louchine... Caprice et indépendance... Ces deux mots résument tout votre caractère.

Zinaïda rit nerveusement.

– Vous n'êtes pas à la page, mon cher docteur, et vous observez mal... Mettez des lunettes... Je ne suis plus d'humeur à avoir des caprices... Croyez-vous que cela m'amuse de vous tourner en bourrique et de rire de moi-même ? Et pour ce qui est de l'indépendance... M'sieur Voldémar, ajouta-t-elle en tapant du pied, ne faites pas cette tête mélancolique. J'ai horreur qu'on me plaigne…

Elle se retira à grands pas.

– Mauvais, très mauvais... L'atmosphère d'ici ne vous vaut décidément rien, jeune homme, dit encore Louchine.

11

Le même soir, toute la bande se réunissait chez les Zassekine. J'étais du nombre.

L'on parla du poème de Maïdanov. Zinaïda le loua sincèrement :

– Seulement, dit-elle, si j'avais été poète, j'aurais choisi d'autres sujets... C'est peut-être stupide ce que je vous dis là, mais il me vient parfois des idées bizarres, la nuit surtout, quand je ne dors pas, et aussi au lever du soleil, à l'heure où le ciel devient rose et gris... C'est ainsi que, par exemple... Vous n'allez pas rire de moi ?

– Mais non, mais non, répondîmes-nous d'une voix.

Elle croisa les bras sur la poitrine et tourna la tête légèrement de côté :

– J'aurais montré tout un groupe de jeunes filles, la nuit, dans une barque, sur un fleuve paisible... Là la lune luit, les jeunes filles sont en blanc, avec des couronnes de fleurs blanches sur la tête, et chantent... quelque chose comme un hymne. Enfin, vous voyez ce que je veux dire.

– Oui, oui, je vous suis, murmura Maïdanov, rêveur.

– Et soudain, du bruit, des rires, des flambeaux, des torches, des tambourins sur la côte... Des bacchantes accourent en foule, avec des cris et des chants. Là-dessus, je vous cède la parole, monsieur le poète... J'aurais voulu des torches très rouges, beaucoup de fumée... Les yeux des bacchantes brillent sous leurs couronnes... Ces dernières seront de couleur sombre... N'oubliez pas les peaux de tigre, les vases, l'or... des monceaux d'or !

– Où faut-il que je mette l'or ? demanda Maïdanov, en rejetant ses cheveux plats en arrière et dilatant ses narines.

– Où ?... Sur leurs épaules, à leurs bras, à leurs jambes... partout. L'on dit que dans l'Antiquité, les femmes portaient des anneaux autour des chevilles... Les bacchantes appellent les jeunes filles de la barque. Celles-ci ont interrompu leur hymne, mais ne bougent pas... Leur embarcation accoste doucement, au fil de l'eau... L'une d'elles se lève lentement – attention, ce passage demande beaucoup de tendresse, car il faut décrire les gestes majestueux de cette jeune fille, au clair de lune, et l'effroi de ses compagnes... Elle enjambe la paroi de la barque, les bacchantes font cercle autour d'elle et l'emportent dans la nuit, dans les ténèbres... Imaginez-vous des volutes de fumée et une confusion générale... L'on n'entend plus que les cris stridents des bacchantes, l'on ne voit plus que la couronne abandonnée sur le rivage...

Zinaïda se tut. (Oh! Elle aime! me dis-je de nouveau.)

– C'est tout? demanda Maïdanov.

– Oui, c'est tout.

– Il n'y a pas de quoi faire tout un poème, déclara le poète, avec suffisance, mais je vais tirer parti de votre suggestion pour une pièce lyrique.

– Dans le genre romantique? demanda Malevsky.

– Bien sûr, à la Byron.

– Et moi, je trouve que Hugo vaut mieux que Byron, répliqua négligemment le jeune comte... Plus intéressant...

– Certes, Hugo est un écrivain de premier ordre, fit Maïdanov, et mon ami Coumenu, dans son roman espagnol *El Trovador*...

– C'est celui où il y a des points d'interrogation à l'envers? intervint Zinaïda.

– Celui-là même. C'est l'usage, chez les Espagnols... Je disais donc que Coumenu...

– Oh, vous voilà de nouveau embarqués dans un débat sur les classiques et les romantiques! intervint de nouveau la jeune fille. Faisons plutôt un jeu...

– Les gages? proposa Louchine.

– Oh non, c'est mortel! Jouons plutôt aux comparaisons!

C'était une invention de Zinaïda; le jeu consistait à choisir un objet et celui qui lui trouvait la comparaison la plus heureuse était déclaré vainqueur.

Elle s'approcha de la croisée. Le soleil venait à peine de se coucher, et de longs nuages rouges montaient haut dans le ciel.

– À quoi ressemblent-ils, ces nuages ? demanda Zinaïda, et sans attendre de réponse, elle répondit elle-même : Moi, je trouve qu'ils ressemblent à ces voiles écarlates que Cléopâtre avait fait attacher aux mâts de son vaisseau le jour où elle partit à la rencontre d'Antoine. Vous en souvenez-vous, Maïdanov ? Vous m'en avez parlé l'autre jour.

Nous suivîmes tous l'exemple de Polonius, dans *Hamlet*, et décidâmes à l'unanimité que les nuages ressemblaient précisément à ces voiles et qu'il n'était pas possible de trouver meilleure comparaison.

– Et quel âge avait Antoine ? interrogea la jeune fille.

– Oh, il était certainement tout jeune, dit Malevsky.

– Oui, il était jeune, confirma Maïdanov avec conviction.

– Je m'excuse, mais il avait plus de quarante ans, déclara Louchine.

– Plus de quarante ans... répéta Zinaïda, en lui jetant un rapide coup d'œil.

Je rentrai bientôt chez moi.

Mes lèvres murmuraient machinalement : « Elle aime... mais qui ?... »

12

Les jours passaient. Zinaïda devenait de plus en plus étrange, incompréhensible. Une fois je la trouvai chez elle, assise sur une chaise cannée, la tête appuyée sur le rebord tranchant de la table. Elle se redressa... Son visage ruisselait de larmes.

– Ah, c'est vous, fit-elle avec un amer rictus. Venez donc par ici.

Je m'approchai d'elle ; elle me prit la tête à deux mains, s'empara d'une mèche de mes cheveux et se mit à la tordre.

– Aïe ! cela me fait mal ! m'écriai-je en fin de compte.

– Ah, cela vous fait mal ! Et moi, croyez-vous donc que je ne souffre pas assez ?

« Oh ! s'exclama-t-elle en s'apercevant qu'elle venait de m'arracher une touffe de cheveux. Qu'ai-je fait ! Pauvre m'sieur Voldémar ! »

Après les avoir soigneusement démêlés, elle les enroula autour de son doigt.

– Je vais mettre vos cheveux dans mon médaillon et les porter toujours sur moi, me dit-elle en guise de consolation, cependant que des larmes brillaient toujours dans ses yeux. Peut-être m'en voudrez-vous un peu moins ?... À présent, adieu...

Je rentrai chez moi. À la maison, non plus, cela n'allait pas bien. Maman venait d'avoir une explication avec mon père ; elle lui reprochait encore quelque chose, et lui ne disait rien, froid et correct, selon sa coutume. D'ailleurs, il sortit peu après. Je n'avais pas pu entendre ce qu'avait dit ma mère, et puis j'avais bien d'autres chats à fouetter. Je me rappelle seulement qu'à l'issue de cette explication, elle me convoqua dans son cabinet de travail et me parla fort aigrement de mes visites – trop fréquentes – chez la vieille princesse, « *une femme capable de tout** », me dit-elle.

Je lui baisai la main (c'était ma manière à moi de mettre fin à un entretien) et montai dans ma

---

* En français dans le texte.

chambre. Les larmes de Zinaïda m'avaient fait complètement perdre la tête; je ne savais que penser, prêt à pleurer, moi aussi – car il faut vous dire qu'à seize ans j'étais encore un véritable enfant.

Je ne songeais plus à Malevsky, bien que Belovzorov devînt chaque jour plus menaçant et regardât l'habile comte de l'œil du loup qui regarde l'agneau; à dire vrai, je ne pensais plus à rien ni à personne. Je me perdais en suppositions et recherchais les endroits solitaires.

J'avais une prédilection particulière pour les ruines de l'orangerie, ayant pris l'habitude d'escalader son mur abrupt et d'y rester assis, à califourchon, tellement malheureux, triste et oublié que je prenais pitié de moi-même: douce griserie de l'isolement mélancolique!

Un jour que je me trouvais là, les yeux perdus au loin, à écouter le carillon du monastère, je perçus tout à coup un frôlement mystérieux: ce n'était pas le vent, ni un frémissement, mais une sorte de souffle et plus exactement la sensation d'une présence... Je baissai les yeux.

Zinaïda longeait le sentier d'un pas pressé; elle portait une robe légère, de couleur grise, et une ombrelle de la même teinte sur l'épaule. Elle m'aperçut, s'arrêta, releva le bord de sa capeline et me regarda avec des yeux de velours.

– Que faites-vous si haut? me demanda-t-elle avec un étrange sourire... Eh bien, qu'attendez-vous? Au lieu de passer votre temps à me persuader que vous m'aimez, sautez donc par ici, si cela est vrai.

À peine avait-elle fini de parler, que je me précipitais en bas, comme si un bras m'avait violemment poussé dans le dos. Le mur devait être haut de près de sept mètres. J'atterris sur mes pieds, mais le choc fut si vigoureux que je ne réussis pas à rester debout; je tombai et restai évanoui quelques instants. En revenant à moi, et sans ouvrir les yeux, je sentis que Zinaïda était toujours là, tout près de moi.

– Cher petit, disait-elle avec une tendresse inquiète, cher petit, comment as-tu pu faire cela, comment as-tu pu m'écouter ? Je t'aime... Relève-toi.

Sa poitrine se soulevait tout contre ma tête, ses mains frôlaient ma joue, et soudain – Seigneur, quel délice ! – ses lèvres douces et fraîches couvrirent mon visage de baisers... effleurèrent mes lèvres...

À ce moment-là, bien que je me gardasse soigneusement de rouvrir les yeux, elle dut se douter que j'étais revenu à moi et se redressa rapidement :

– Eh bien, relevez-vous, espèce de grand fou... Qu'est-ce que vous faites là, dans la poussière ?

J'obtempérai.

– Donnez-moi mon ombrelle... voyez où je l'ai jetée... et ne me regardez pas ainsi... En voilà de sottes idées !... Vous êtes-vous fait mal ? Vous vous êtes brûlé dans les orties ? Je vous dis de ne pas me regarder ainsi... Il ne veut rien comprendre, rien répondre, ajouta-t-elle comme si elle parlait à elle-même. Rentrez chez vous, m'sieur Voldémar, brossez-vous et ne me suivez pas, sinon je vais me fâcher et jamais plus je ne...

Elle n'acheva pas son propos et s'éloigna rapidement ; je m'assis sur le bord du sentier... mes jambes ne voulaient plus me porter. Les orties m'avaient brûlé les mains, j'avais mal dans le dos, la tête chancelante, mais, avec tout cela, j'éprouvais un sentiment de béatitude que je n'ai plus jamais retrouvé de ma vie. Il se manifestait par une torpeur douce et douloureuse circulant dans mes veines, et finit par se donner libre cours, sous forme de gambades et de cris enthousiastes...

Vraiment, j'étais encore un enfant !

13

Vous dirai-je ma joie et ma fierté durant tout ce jour-là ? Les baisers de Zinaïda vivaient encore sur mon visage ; transporté de ravissement, j'évoquais à tout moment chacune de ses paroles et tenais telle-ment à ma félicité nouvelle que je commençais d'avoir peur et ne voulais plus revoir la cause de mon exaltation.

Il me semblait que je ne pouvais plus rien attendre du destin et que l'heure était venue « de boire une dernière bolée d'air frais et de mourir ! »

Le lendemain, en me rendant chez les Zassekine, j'éprouvais une vive confusion que je masquais en vain sous la désinvolture modeste du monsieur-qui-veut-faire-entendre-qu'il-sait-garder-un-secret.

Zinaïda me reçut le plus simplement du monde, et sans la moindre émotion, se contentant de me mena-cer du doigt et de me demander si je n'avais pas de bleus. Toute ma désinvolture, ma modestie et mes airs de conspirateur s'évanouirent en un clin d'œil. Sans doute, je ne m'attendais à rien d'extraordinaire, mais enfin... le calme de la jeune fille me produisit exactement l'effet d'une douche froide. Je compris que je n'étais qu'un enfant, pour elle, et j'en fus affecté !

Zinaïda se promenait de long en large, et un sou-rire fugitif effleurait son visage toutes les fois que ses yeux se posaient sur moi ; mais ses pensées étaient loin – je le voyais bien...

« Vais-je lui parler d'hier, lui demander où elle se hâtait et savoir enfin ?... »

J'y renonçai et pris place dans un coin, à l'écart.

L'arrivée de Belovzorov, sur ces entrefaites, me parut on ne peut plus opportune.

– Je n'ai pas réussi à vous trouver une bête docile... Il y a bien une cavale dont Freitag se porte garant, mais moi, je n'ai pas confiance. J'ai peur.

– Et de quoi avez-vous peur, s'il est permis de vous poser cette question ? demanda Zinaïda.

– De quoi ?... Mais vous ne savez même pas monter à cheval. Dieu nous garde, mais un malheur est si vite arrivé ! Quelle est cette lubie qui vous passe par la tête ?

– Cela ne regarde que moi, monsieur le fauve... Et s'il en est ainsi, je vais m'adresser à Piotr Vassilié-vitch...

C'était le nom de mon père, et je fus surpris qu'elle parlât de lui avec une telle aisance, comme si elle était certaine qu'il accepterait de lui rendre ce service.

– Tiens, tiens, fit Belovzorov, c'est donc avec ce monsieur-là que vous voulez faire du cheval ?

– Que ce soit lui ou un autre, cela ne vous regarde pas. En tous les cas, pas avec vous.

– Pas avec moi... répéta le hussard... Soit... je vais vous trouver une monture.

– Seulement faites bien attention à ce que ce ne soit pas une mule... Car je vous préviens que je veux faire du galop.

– Faites-en, si cela vous chante... Est-ce avec Malevsky ?

– Et pourquoi pas avec lui, mon vaillant capitaine ? Allons, calmez-vous, ne faites plus ces yeux-là. On dirait que vous voulez foudroyer les gens... Je vous emmènerai un jour... Malevsky... comme si vous ne saviez pas ce qu'il est pour moi, à présent... pfuitt !

Elle secoua la tête.

– C'est pour me consoler que vous dites cela, ronchonna Belovzorov.

Zinaïda plissa les yeux.

– Vous consoler ?... Oh... oh... oh... mon brave capitaine ! proféra-t-elle enfin, comme si elle n'avait pas réussi à trouver d'autre mot. Et vous, m'sieur Voldémar, voudrez-vous venir avec nous ?

– C'est que... je n'aime pas être... en nombreuse compagnie, balbutiai-je sans lever les yeux.

– Ah ! ah ! vous préférez le tête-à-tête... Tant pis, ce sera comme vous le voudrez, soupira-t-elle. Allez, Belovzorov, en chasse... Il me faut absolument un cheval pour demain !

– Oui, mais où prendre l'argent ? intervint la vieille princesse.

Zinaïda fronça les sourcils.

– Je ne vous ai rien demandé... Belovzorov me fait confiance.

– Confiance... confiance... grommela la matrone.

Et subitement, elle hurla de toute la force de ses poumons :

– Douniacha !

– Maman, je vous ai pourtant acheté une sonnette, observa Zinaïda.

– Douniacha ! appela de nouveau la princesse.

Belovzorov prit congé. Je sortis avec lui. On n'essaya pas de me retenir...

14 → nature.

Le jour suivant, je me levai de très bonne heure, me taillai un bâton et m'en allai loin de la ville. Je voulais me promener seul et ruminer mon chagrin. Il faisait un temps superbe, ensoleillé, et modérément chaud ; un vent frais et joyeux errait au-dessus de la terre, folâtrait et bruissait, mais avec retenue. Je marchai longtemps à travers monts et bois, profondément insatisfait, car le but de ma randonnée avait été de m'adonner à la mélancolie, et voilà que la jeunesse, la splendeur du soleil, la fraîcheur de l'air, le plaisir d'une marche rapide, la molle volupté de s'allonger dans l'herbe dense, loin de tous les regards, voilà que tout cela prenait le dessus et me faisait oublier mon chagrin...

Et puis le souvenir des paroles de Zinaïda et de ses baisers s'empara de nouveau de mon âme. Il m'était doux de me dire qu'elle avait été bien forcée de reconnaître ma force de caractère et mon héroïsme... « Elle préfère les autres, me disais-je... Tant pis !... Ces gens-là ne sont braves qu'en paroles, et moi, j'ai donné des gages... Et j'accepterai d'autres sacrifices, beaucoup plus graves, s'il le faut ! »

Mon imagination était déchaînée. Je me voyais sauvant la jeune fille des mains de ses ennemis, l'arrachant d'une prison, héroïque et tout couvert de sang, puis, expirant à ses pieds...

Je me souvins d'un tableau accroché dans notre salle à manger : Malek-Adel enlevant Mathilde.

Aussitôt après, j'étais absorbé dans la contemplation d'un pivert bariolé qui gravissait le tronc mince d'un bouleau et jetait des coups d'œil inquiets, à droite puis à gauche, comme un contrebassiste derrière son instrument.

Ensuite, je me mis à chanter : « Ce n'est pas la blanche neige » et passai de là à une autre romance, fort connue à l'époque : « Je t'attends au moment où folâtre Zéphyr... »

Je déclamai l'invocation d'Ermak aux étoiles, tirée de la tragédie de Khomiakov, essayai de composer quelque chose de très sentimental et réussis même à inventer la strophe finale qui retombait sur un « oh, Zinaïda », mais n'allai pas plus loin...

Je descendis dans la vallée ; un sentier sinueux serpentait tout au fond et conduisait à la ville. Je m'y engageai...

Tout à coup, un bruit de sabots de cheval derrière moi. Je me retournai, m'arrêtai machinalement et ôtai ma casquette... C'était mon père et Zinaïda. Ils trottaient côte à côte. Mon père était penché vers elle et lui disait quelque chose en souriant, la main posée sur l'encolure de son cheval... La jeune fille l'écoutait sans répondre et baissait les yeux, en serrant les lèvres... Je n'aperçus qu'eux, tout d'abord... Quelques instants après, Belovzorov émergea d'un tournant, en veste rouge de hussard... Son beau cheval noir était couvert d'écume, secouait la tête, reniflait, caracolait. Le cavalier se cramponnait à la bride, freinait, donnait des coups d'éperon... Je me cachai... Mon père reprit sa bride, s'écarta de Zinaïda et ils repartirent tous les deux, au galop... Belovzorov leur emboîtait le pas, en faisant sonner son sabre...

« Il est rouge comme une écrevisse, me dis-je, mais elle... pourquoi est-elle si pâle ?... Est-ce d'avoir fait du cheval toute la matinée ? »

Je pressai le pas et arrivai à la maison juste avant le repas... Mon père s'était déjà changé et avait fait sa toilette. Assis dans un fauteuil, tout contre celui de maman, il lui lisait, d'une voix égale et sonore, le feuilleton du *Journal des Débats*; ma mère l'écoutait d'une oreille distraite. En me voyant, elle me demanda où j'avais disparu et ajouta qu'il lui déplaisait fort de me voir vagabonder Dieu sait où et avec Dieu sait qui.

« Mais je me suis promené tout seul ! » allais-je répondre, quand je croisai le regard de mon père et me tus, je ne sais pourquoi.

15

Pendant cinq ou six jours, je ne vis plus Zinaïda. Elle se disait souffrante (ce qui n'empêchait nullement les habitués de venir lui rendre visite, de « monter la garde », comme ils disaient).

Ils venaient tous, à l'exception de Maïdanov, qui sombrait dans la mélancolie, dès qu'il n'avait plus de raison de s'enthousiasmer. Belovzorov se tenait, morne, dans un coin, raide dans son uniforme, boutonné jusqu'au menton, et cramoisi. Un mauvais sourire errait sur le fin visage du comte Malevsky ; il était tombé en disgrâce et s'efforçait de se rendre utile à la vieille princesse avec un empressement servile. N'était-il pas allé jusqu'à l'accompagner, dans son fiacre, chez le général-gouverneur ? Il est vrai que la visite avait été infructueuse et qu'il en était résulté même des désagréments pour le comte : on lui avait rappelé une histoire qu'il avait eue, autrefois, avec un officier du Génie ; il lui avait fallu s'expliquer et admettre qu'il avait fait preuve d'inexpérience.

Louchine avait coutume de venir deux fois par jour, mais ne restait pas longtemps ; depuis notre récent tête-à-tête, il m'inspirait une vague appréhension, en même temps qu'une sympathie profonde.

Un jour, nous allâmes nous promener ensemble au jardin Neskoutchny ; il se montra très aimable avec moi et m'énuméra les noms et les propriétés de toutes les plantes. Tout à coup, il se frappa le front et s'exclama, sans que rien l'eût fait prévoir, au cours de notre précédente conversation : « Imbécile que j'étais de la croire coquette !... Il faut croire qu'il existe des femmes qui trouvent de la douceur dans le sacrifice ! »

– Que voulez-vous dire ? lui demandai-je.

– Rien... Du moins rien qui puisse vous intéresser, répondit-il brusquement.

Zinaïda m'évitait. Ma seule vue lui était désagréable – je ne pouvais pas ne pas m'en rendre compte... Elle se détournait machinalement, et précisément parce que le geste était machinal, j'en concevais un désespoir amer... Je m'efforçais de ne plus la voir et la guettais de loin, mais cela ne me réussissait pas toujours.

Il lui arrivait quelque chose d'étrange et d'inexplicable : elle n'était plus la même, jusque dans l'expression de ses traits.

J'en fus particulièrement frappé par une soirée douce et chaude. J'étais assis sur une banquette, sous un saule – un endroit que j'aimais beaucoup, car, de là, je découvrais *sa* fenêtre. Au-dessus de moi, dans le feuillage, un petit oiseau véloce sautillait de branche en branche ; un chat gris se faufilait dans le jardin, en s'aplatissant sur le sol ; des hannetons bourdonnaient sourdement dans l'air, sombre, mais encore transparent. Les yeux fixés sur la croisée, j'épiais... Elle s'ouvrit enfin, et Zinaïda apparut. Elle avait mis une robe blanche – aussi blanche que son visage, ses bras et ses épaules.

La jeune fille resta longtemps immobile, les sourcils froncés. Puis elle serra ses mains avec force, les porta à ses lèvres, à son front, écarta les doigts, ramena ses cheveux derrière les oreilles, secoua énergiquement la tête et referma brusquement la fenêtre.

Trois jours plus tard, je la rencontrai au jardin.

– Donnez-moi le bras, me dit-elle tendrement, comme autrefois... Il y a si longtemps que nous n'avons bavardé tous les deux.

Je la regardai ; une douce lumière brillait au fond de ses prunelles, et elle me souriait, comme à travers un léger nuage.

– Êtes-vous encore souffrante ? lui demandai-je.

– Non, maintenant c'est passé, répondit-elle en cueillant une petite rose rouge. Je suis encore un peu lasse, mais cela passera aussi.

– Et vous serez de nouveau comme avant ?

Elle leva la fleur au niveau de ses joues, et le rouge des pétales sembla s'y refléter.

– Ai-je donc changé ?

– Oui, vous avez changé, répliquai-je à mi-voix.

– J'ai été froide avec vous... je le sais... mais il ne fallait pas faire attention à cela... Je ne pouvais pas être autre... N'en parlons plus, voulez-vous ?

– Vous ne voulez pas que je vous aime ! m'exclamai-je dans un élan involontaire.

– Mais si, continuez de m'aimer, seulement pas de la même manière.

– Et comment ?

– Soyons amis, tout simplement !

Elle me fit sentir le parfum de la rose.

– Écoutez, je suis beaucoup plus âgée que vous... J'aurais pu être votre tante – mais oui ! – ou, tout au moins, votre sœur aînée... Et vous...

Je l'interrompis :

– Je ne suis qu'un enfant ?

– C'est cela. Vous êtes un enfant. Un enfant que j'aime, bon, gentil, intelligent... Tenez, dès aujourd'hui je vous élève à la dignité de page... Vous allez être mon page et n'oubliez pas qu'en cette qualité, vous ne devez jamais quitter votre dame... Et voici votre insigne, ajouta-t-elle en passant la rose à ma boutonnière... À présent, vous avez un gage de notre bienveillance.

– J'en ai reçu d'autres, naguère... balbutiai-je.

– Ah ! Ah ! fit Zinaïda, en me regardant de biais... Quelle mémoire ! Eh bien, soit ! J'accepte !

Elle se pencha légèrement et me déposa au front un baiser pur et serein.

Comme je relevais les yeux, elle fit demi-tour :

– Suivez-moi, page, intima-t-elle en se dirigeant vers le pavillon.

Je la suivis, me demandant, tout étonné :

« Est-il possible que cette jeune fille timide et raisonnable soit Zinaïda ? »

Sa démarche elle-même me parut plus lente, et sa taille plus svelte et majestueuse.

Mon Dieu ! Avec quelle violence nouvelle la passion se rallumait dans mon cœur !

16

À l'issue du repas, les habitués se retrouvèrent de nouveau au salon, et la jeune princesse daigna sortir de sa chambre. Notre bande était au grand complet, tout comme lors de l'inoubliable soirée où je m'y associai pour la première fois. Le vieux Nirmatzky, lui-même, avait traîné sa patte jusqu'au pavillon. Maïdanov était arrivé avant les autres, un nouveau poème sous le bras.

On joua aux gages, comme l'autre fois, mais sans rien de fantasque, de bruyant – l'élément bohème semblait être perdu. En ma qualité de page, je me tenais assis à côté de Zinaïda. Elle proposa que celui qui tirerait un gage racontât son dernier rêve, mais cela tomba à l'eau. Les rêves manquaient totalement d'intérêt (comme celui de Belovzorov, lequel avait rêvé qu'il donnait des carassins à son cheval, et que le cheval avait une tête de bois) ou bien sonnaient faux, inventés de toutes pièces.

Maïdanov nous proposa tout un roman. Que ne s'y trouvait-il pas : des nécropoles, des anges avec des lyres, des fleurs qui parlaient, des bruits lointains et mystérieux. Zinaïda ne lui laissa même pas le temps de finir.

– Quant à faire du roman, conclut-elle, autant que chacun invente une histoire !

De nouveau, le sort désigna Belovzorov.

– Mais je ne peux rien inventer ! s'écria le hussard, visiblement mal à l'aise.

– Quelles sottises ! répliqua Zinaïda... Figurez-vous, par exemple, que vous êtes marié et racontez-nous comment vous aimeriez passer tout votre temps avec votre femme... L'auriez-vous enfermée à clef ?

– Oui, certes.

– Et seriez-vous resté à côté d'elle ?

– Bien sûr.

– Parfait. Et si elle en avait assez et qu'elle vous trompât ?

– Je l'aurais tuée.

– Et si elle s'était enfuie ?

– Je l'aurais rattrapée et tuée quand même.

– Bon. Supposons que je sois votre femme. Qu'auriez-vous fait ?

Belovzorov se tut.

– Je me serais tué également, proféra-t-il après une minute de réflexion.

– Je vois qu'au moins vous ne faites pas traîner les choses en longueur ! s'exclama la jeune fille en pouffant de rire.

Le deuxième gage lui revint. Elle leva les yeux au plafond et devint rêveuse.

– Écoutez, dit-elle enfin, voici ce que j'ai trouvé...
Imaginez-vous un salon magnifique, une belle nuit
d'été et un bal superbe... Ce bal est offert par la jeune
reine. Partout, de l'or, du marbre, du cristal, de la
soie, des feux, des diamants, des fleurs, des plantes
odorantes... Bref, tout ce que le luxe peut rêver.

– Aimez-vous le luxe ? intervint Louchine.

– C'est très joli, et j'aime tout ce qui est joli, répondit-elle.

– Mieux que le beau ?

– C'est trop fort pour moi... Je ne vous saisis pas...
Allons, ne me dérangez pas... Je vous disais donc
qu'il y a un bal magnifique. Les invités sont nombreux. Ils sont jeunes, beaux, vaillants et follement
amoureux de la reine.

– Ah ! ah ! il n'y a donc pas de femmes parmi les
invités ? observa Malevsky.

– Non... Attendez, si... il y en a.

– Et elles sont toutes belles ?

– Charmantes. Pourtant, les hommes sont amoureux de la reine. Elle est grande, svelte, et porte un
petit diadème doré sur ses cheveux noirs.

Je regardai Zinaïda, et elle me parut tellement plus
grande que nous tous. Il rayonnait une telle intelligence et tant de pénétration de son front d'albâtre et
de ses sourcils immobiles, que, malgré moi, je me
dis :

« Cette reine, c'est toi ! »

– Tous les hommes se pressent en foule autour
d'elle, poursuivit la jeune fille, et lui tiennent les propos les plus flatteurs.

– Aime-t-elle la flatterie ? s'informa Louchine.

– Vous êtes insupportable !... Vous ne voulez donc
pas me laisser parler ?... Bien sûr qu'elle l'aime ! Qui
donc ne l'aime pas ?

– Une dernière question, fit Malevsky : la reine a-
t-elle un mari ?

– Je n'ai même pas songé à cela... Mais non. Pour quoi faire, un mari ?

– Évidemment : pour quoi faire ? répéta le comte.

– *Silence** ! réclama Maïdanov, qui parlait d'ailleurs très mal le français.

– *Merci**, répondit Zinaïda. Ainsi donc, la reine prête l'oreille à ces propos, à la musique, mais ne regarde aucun de ses invités/ Six croisées sont ouvertes, de haut en bas, du plafond au parquet, béant sur un ciel noir avec de grandes étoiles et un parc sombre, planté d'arbres immenses. La reine contemple la nuit. Au jardin, parmi les arbres, il y a une fontaine : on la distingue dans l'obscurité, à ses contours blancs et longs, très longs, comme un fantôme/ À travers la musique et le bruit des voix, la reine discerne le murmure de l'eau. Et elle se dit : mes nobles sires, vous êtes beaux, intelligents, honnêtes, vous buvez chacune de mes paroles et vous vous dites prêts à expirer à mes pieds... J'ai, sur vous, un pouvoir infini... Or, savez-vous que là-bas, près de cette fontaine où l'eau murmure si harmonieusement, mon bien-aimé m'attend et que lui aussi a sur moi un pouvoir infini… Il n'a point de brocarts, ni de gemmes ; c'est un inconnu, mais il m'attend ; il sait que je vais venir... et je viendrai... Aucune force au monde n'est capable de me retenir lorsque je veux le rejoindre et demeurer près de lui, me perdre avec lui, là-bas, dans le bruissement des arbres et le chant de la fontaine.

Elle se tut.

– Est-ce bien une histoire inventée ? demanda malicieusement le comte.

* En français dans le texte.

Zinaïda ne daigna même pas l'honorer d'un regard.

– Et que ferions-nous, messieurs, si nous étions du nombre de ces invités et connaissions l'existence de cet heureux mortel qui soupire près de la fontaine ?

– Ce que vous auriez fait ? Attendez, je vais vous le dire, répliqua Zinaïda... Belovzorov l'aurait provoqué en duel... Maïdanov aurait composé une épigramme... Ou plutôt non... cela n'est pas dans vos cordes... Vous auriez composé des iambes interminables, à la Barbier, et publié votre chef-d'œuvre au *Télégraphe*... Nirmatzky lui aurait emprunté de l'argent... ou plutôt non : il lui en aurait prêté à la petite semaine... Pour vous, docteur – elle s'arrêta – ... au fait, je ne sais pas ce que vous auriez imaginé...

– En ma qualité de docteur attaché au service de Sa Majesté, je lui aurais respectueusement recommandé de ne pas organiser de bal quand elle a d'autres chats à fouetter...

– Vous n'auriez peut-être pas eu tort... Et vous, comte ?

– Et moi ? répéta Malevsky avec un mauvais sourire.

– Vous lui auriez sans doute offert une dragée empoisonnée...

Le visage du comte, contracté un instant, prit une expression fouineuse, puis il éclata de rire.

– Quant à vous, m'sieur Voldémar... Enfin, bref, passons à un autre jeu...

– M. Voldémar, en sa qualité de page, aurait porté la traîne de Sa Majesté pendant qu'elle se serait sauvée, railla méchamment Malevsky.

J'allais éclater. Zinaïda me mit la main sur l'épaule, se leva et prononça d'une voix qui tremblait légèrement :

– Je n'ai jamais autorisé Votre Altesse à être insolente, aussi la prié-je de se retirer.

70

Elle lui désigna la porte.

– Voyons, princesse, balbutia le comte en blêmissant.

– La princesse a raison, approuva Belovzorov en se levant également.

– Vraiment... je ne croyais pas... je ne voulais pas vous blesser... Pardonnez-moi, balbutia Malevsky.

Zinaïda lui jeta un regard glacial et sourit durement.

– Soit, restez, fit-elle avec un geste méprisant... Nous avons eu tort de nous fâcher, m'sieur Voldémar et moi... Si cela vous amuse d'épancher votre venin... je n'y vois pas d'inconvénient, pour ma part !

– Pardonnez-moi, s'excusa encore une fois le comte.

Quant à moi, j'évoquai le geste de Zinaïda et me dis qu'une vraie reine n'aurait su montrer la porte avec plus de grâce à l'insolent.

Le jeu des gages ne dura pas longtemps après cet incident ; tout le monde se sentait légèrement mal à l'aise, pas tellement à cause de l'incident lui-même que d'un trouble confus et inexplicable. Personne ne l'avouait, mais chacun s'en rendait compte.

Maïdanov nous lut des vers, et Malevsky les loua exagérément.

– Il veut se montrer charitable à tout prix, me souffla Louchine.

Nous nous séparâmes assez vite. Zinaïda était devenue subitement songeuse ; sa mère fit dire qu'elle avait la migraine ; Nirmatzky commença à se plaindre de ses rhumatismes...

Longtemps, je ne pus m'endormir, bouleversé par le récit de Zinaïda. « Se pouvait-il qu'il contînt une parcelle de vérité ? me demandais-je... De qui, de quoi avait-elle voulu parler ?... Et si réellement il y avait anguille sous roche, quelle décision devais-je prendre ?... Mais non, mais non, cela n'est pas pos-

sible », me répétai-je en me tournant et me retour-
nant dans mon lit, les joues en feu... Puis je me souvins de l'expression de son visage pendant qu'elle
parlait... Je me rappelai l'exclamation qui avait
échappé à Louchine, au jardin Neskoutchny, le
brusque changement de la jeune fille à mon égard...
Je me perdais en suppositions... « Qui est-ce ? »

Ces trois petits mots dansaient devant moi, dans
l'obscurité... Un nuage bas et lugubre m'oppressait
de tout son poids et j'attendais à chaque instant qu'il
se résolût en orage.

J'avais observé pas mal de choses chez les Zassekine, depuis que je les fréquentais, et m'étais habitué
à beaucoup d'autres : au désordre, aux bouts de
chandelle graisseux, aux fourchettes édentées, aux
couteaux ébréchés, aux mines renfrognées de Boniface, à la malpropreté de la bonne, aux manières de
la vieille princesse... Il y avait une chose, pourtant, à
laquelle je ne pouvais pas me faire : le changement
que je pressentais confusément chez Zinaïda...

Ma mère l'avait traitée un jour d'aventurière... Une
aventurière, elle, mon idole, ma divinité ! Ce mot me
brûlait ; indigné, je voulais enfoncer ma tête dans
l'oreiller... En même temps, que n'aurais-je pas
donné pour être à la place de cet heureux mortel,
près de la fontaine !...

Mon sang ne fit qu'un tour... « La fontaine... dans
le parc... si j'y allais ? » Je m'habillai en hâte et me
faufilai hors de la maison... La nuit était noire, les
arbres faisaient entendre un chuchotis à peine perceptible ; une fraîcheur légère descendait du ciel ;
une odeur de persil émanait du potager... Je fis le
tour de toutes les allées ; le bruit de mes propres pas
m'intimidait et me stimulait en même temps ; je
m'arrêtais, attendais, épiant le battement de mon

cœur, rapide et précis... Enfin, je m'approchai de la palissade et m'appuyai sur un piquet... Tout à coup, une silhouette de femme passa rapidement à quelques pas de moi – peut-être une hallucination : je ne savais trop quoi penser... J'essayai de percer les ténèbres du regard et retins mon souffle... Qui était-ce ?... Un bruit de pas ou la cadence de mon cœur ?

– Qui est là ? balbutiai-je d'une voix blanche.

On dirait un rire étouffé... ou le murmure des feuilles... ou un soupir tout contre mon oreille ?... J'eus peur.

– Qui est là ? répétai-je encore plus bas.

Une raie de feu zébra le firmament : une étoile filante...

– Zinaïda ! voulus-je appeler, mais le son se tut sur mes lèvres...

Tout à coup, comme cela se produit souvent en pleine nuit, il se fit un silence profond autour de moi... Les cigales elles-mêmes se turent dans les arbres, et je n'entendis plus que le bruit d'une croisée qui se fermait. J'attendis encore un moment et retournai dans ma chambre, dans mon lit froid.

J'étais en proie à une singulière exaltation, comme si j'étais allé à un rendez-vous et avais passé, seul, devant le bonheur d'autrui...

17

Le jour suivant, je ne fis qu'entrevoir Zinaïda : elle était partie, en fiacre, avec la vieille princesse. Par contre, je rencontrai Louchine – qui daigna à peine me saluer – et Malevsky. Le jeune comte sourit et se mit à me parler en bon camarade. De tous les habitués du pavillon, il était le seul qui eût réussi à s'introduire chez nous et à se faire aimer de maman. Mon père, lui, le tenait en piètre estime et le traitait avec une courtoisie affectée qui frisait l'insolence.

– *Ah ! ah ! monsieur le page**, fit Malevsky... Je suis fort aise de vous rencontrer. Que devient votre charmante reine ?

Son joli minois de gandin me dégoûtait tellement – et il me dévisageait avec un enjouement si méprisant – que je ne lui répondis même pas.

– Toujours fâché ? poursuivit-il. Vous avez tort. Ce n'est pas moi qui vous ai élevé à la dignité de page... Savez-vous que vous devez toujours suivre la reine et permettez-moi de vous faire observer que vous vous acquittez fort mal de votre mission.

– Comment cela ?

– Les pages ne quittent jamais la reine et ont devoir de l'épier... jour et nuit, conclut-il en baissant la voix.

– Qu'entendez-vous par là ?

– Mais rien du tout !... Je n'ai pas d'arrière-pensée... Jour et nuit... Le jour, cela va tout seul : il fait clair, et il y a beaucoup de monde... C'est surtout la nuit qu'il faut ouvrir l'œil, et le bon... À votre place, je ne dormirais pas et passerais mon temps à observer attentivement... Rappelez-vous l'histoire de la fontaine : c'est là qu'il faut vous poster et faire le guet... Vous me direz merci pour mon conseil.

Il éclata de rire et me tourna le dos, n'attribuant probablement pas trop d'importance à ses propres recommandations. Le comte avait la réputation de s'y entendre à mystifier les gens dans les mascarades, et le mensonge presque inconscient qui sourdait par tous ses pores l'y aidait grandement.

Il avait voulu seulement me taquiner, mais chacune de ses paroles se répandit comme un venin

* En français dans le texte.

dans mes veines. Le sang me monta à la tête. « Ah ! bon, me dis-je, ce n'était donc pas pour rien que le parc exerçait sur moi une telle attraction ! Cela ne se produira pas ! » m'écriai-je tout haut, en me frappant la poitrine.

À dire vrai, je ne savais point ce qui ne devait pas se produire.

« Que ce soit Malevsky qui vienne à la fontaine (peut-être avait-il trop parlé, mais on pouvait s'attendre à tout de son insolence) ou quelqu'un d'autre (la palissade du parc était basse et facile à franchir), peu importe, mais gare à lui s'il a affaire à moi ! Je ne voudrais pas être à sa place et ne le souhaite à personne ! Je prouverai à l'univers entier, comme à l'infidèle (c'est ainsi que je qualifiais Zinaïda), que je sais me venger ! »

Je remontai dans ma chambre, ouvris le tiroir de ma table, pris un couteau anglais que je venais d'acheter, vérifiai le fil de la lame, fronçai les sourcils et cachai l'arme dans ma poche, d'un geste froid et résolu. Un spectateur qui m'aurait vu aurait pu croire que j'avais l'habitude de ces sortes de règlements de comptes. Mon cœur se souleva haineusement, se raidit, devint de pierre : jusqu'au soir, j'évitai de desserrer les lèvres et de dérider mon front. Je marchais de long en large, la main crispée sur le couteau enfoui dans ma poche et tiède, ruminant des actes effrayants.

À dire vrai, ces sentiments nouveaux accaparaient si bien mon attention que je ne songeais presque pas à Zinaïda… J'évoquais l'image d'Aleko, le jeune bohémien : « Où vas-tu, beau jeune homme ? Recouche-toi… » Et puis : « Tu es couvert de sang… Qu'as-tu fait ?… » « Rien du tout !… » Avec quel sourire cruel je répétais ce « Rien du tout ! »…

Mon père était sorti ; ma mère, qui depuis quelque temps se trouvait dans un état d'irritation quasi chronique, finit par remarquer mon air fatal et me demanda :

– Qu'as-tu donc ? On dirait que tu as avalé une couleuvre.

Je me contentai de sourire d'un air plein de condescendance et de me dire : « Ah ! s'ils savaient !... »

L'horloge égrena onze coups ; j'allai dans ma chambre, mais ne me déshabillai pas : j'attendais minuit.

Les douze coups... « L'heure a sonné ! » me dis-je à voix basse, en serrant les dents. Je boutonnai ma veste jusqu'au menton, retroussai mes manches et descendis au jardin.

J'avais prévu à l'avance l'endroit où je devais me poster. Un sapin solitaire se dressait au fond du parc, là où la palissade qui séparait notre domaine de celui des Zassekine aboutissait à un mur mitoyen. Caché dans les basses branches de l'arbre, je pouvais facilement voir tout ce qui se passait autour de moi – du moins dans la mesure où me le permettait l'obscurité de la nuit.

Il y avait un sentier qui courait juste au pied du sapin. Ce chemin mystérieux s'étirait comme un serpent et passait sous la palissade, à un endroit où un intrus l'avait manifestement enjambée et à plusieurs reprises, à en juger par les traces. Plus loin, il allait se perdre dans un kiosque entièrement recouvert d'acacias. Je me faufilai jusqu'à l'arbre et me mis en faction, adossé à son tronc.

La nuit était aussi sereine que la veille, mais le ciel était moins couvert et l'on distinguait plus nettement les contours des buissons et de quelques fleurs hautes. Les premières minutes d'attente me parurent pénibles et presque terrifiantes. Prêt à tout, je réfléchissais à la conduite à tenir : devais-je crier d'une voix de tonnerre : « Où vas-tu ? Pas un pas de plus ! Avoue, ou tu es mort ! » ou bien frapper en silence ?...

Chaque bruit, chaque feuille froissée par le vent prenait dans mon imagination une signification extraordinaire... J'épiais, penché en avant... Une demi-heure s'écoula de la sorte, puis une heure ; mon sang se calmait ; une idée insidieuse commençait à se faire jour dans mon esprit : « Et si je m'étais trompé, si je me couvrais de ridicule, si Malevsky s'était moqué de moi ? »

Je quittai ma cachette et allai faire le tour du parc. Pas un bruit nulle part ; tout reposait ; notre chien dormait, roulé en boule, devant le portail... J'escaladai les ruines de l'orangerie, contemplai le champ qui s'étendait à perte de vue, me souvins de ma rencontre avec Zinaïda à ce même endroit, m'abîmai dans mes réflexions...

Tout à coup, je tressaillis... Je crus percevoir le grincement léger d'une porte qui s'ouvrait, puis le craquement d'une branche morte... En deux bonds, j'étais en bas, immobile à mon poste... Un pas léger, rapide mais prudent, se faisait entendre dans le jardin... Quelqu'un approchait... « Le voilà... enfin ! »

D'un geste brusque, j'arrachai le couteau de ma poche et l'ouvris... Des étincelles rouges jaillirent devant mes yeux, mes cheveux se dressèrent de colère et d'épouvante... L'homme venait droit sur moi... Je me courbai en deux, prêt à bondir... Mon Dieu !... C'était mon père !...

Bien qu'il fût entièrement enveloppé dans un manteau noir et eût enfoncé son chapeau sur les yeux, je le reconnus immédiatement. Il passa devant moi sur la pointe des pieds, sans me remarquer, bien que rien ne me dissimulât à son regard... Mais j'étais tellement ramassé sur moi-même que je devais être presque au ras du sol... Othello jaloux et prêt à assassiner redevint un collégien.

L'apparition de mon père m'avait fait une telle peur que je fus incapable de déterminer d'où il était venu et dans quelle direction il avait disparu. Lorsque le silence se rétablit autour de moi, je me redressai et me demandai, stupéfait : « Pourquoi donc père va-t-il se promener la nuit dans le parc ? »

Dans mon épouvante, j'avais laissé choir le couteau et ne me donnai même pas la peine de le chercher, tout penaud que j'étais... C'était plus fort que moi, j'étais complètement désorienté...

Cependant, en rentrant, je m'approchai du banc, sous le saule, et jetai un coup d'œil à la croisée de Zinaïda. Les petites vitres, légèrement bombées, avaient un reflet terne et bleuté à la pâle clarté du ciel nocturne... Tout à coup, leur teinte changea... Une main baissait doucement, tout doucement – je le voyais nettement – un store blanc qui descendit jusqu'au bas de la fenêtre et ne bougea plus...

– Qu'est-ce que cela veut dire ?

Je m'étais posé la question presque tout haut, malgré moi, une fois dans ma chambre.

– Ai-je rêvé ?... Est-ce une coïncidence, ou...

Mes soupçons étaient tellement étranges et inattendus que je n'osais pas m'y arrêter.

18

Je me levai avec un violent mal de tête. L'agitation de la veille avait disparu, faisant place à un sentiment pénible de stupeur et de tristesse que je n'avais jamais encore éprouvé... Comme si quelque chose était en train de mourir en moi-même...

– Pourquoi avez-vous l'air d'un lapin qu'on aurait amputé de la moitié de sa cervelle ? me demanda Louchine, que je rencontrai.

Pendant tout le repas de midi, je jetai des regards furtifs, tour à tour sur mes deux parents ; mon père était calme, comme de coutume ; ma mère s'irritait de tout et de rien.

Je me demandais si mon père n'allait pas me parler amicalement, comme cela lui arrivait de temps en temps... Eh bien, non, je n'obtins même pas cette sorte de tendresse froide qu'il me témoignait généralement chaque jour...

« Faut-il que je dise tout à Zinaïda ? me demandai-je. Peu importe, puisque désormais tout est fini entre nous deux... »

Je me rendis chez elle, mais ne pus rien lui signifier, ni même lui parler comme j'en avais eu l'intention. Son petit frère, âgé d'une douzaine d'années, élève d'une école de Cadets de Saint-Pétersbourg, était venu passer les vacances chez sa mère et venait d'arriver ; elle me le rétrocéda aussitôt :

– Voici un camarade pour vous, mon cher Volodia (c'était la première fois qu'elle m'appelait ainsi)... Vous avez le même petit nom. Soyez amis, je vous le demande ; mon frère est encore un peu sauvage, mais il a si bon cœur... Faites-lui visiter Neskoutchny, promenez-vous ensemble, prenez-le sous votre aile... Vous voulez bien, n'est-ce pas ? Vous êtes si gentil...

Elle posa tendrement ses mains sur mes épaules ; je ne trouvai rien à lui répondre. L'arrivée de ce gamin me transformait moi-même en collégien. Je regardai le cadet en silence ; de son côté, il me dévisagea sans rien dire. Zinaïda éclata de rire et nous poussa l'un vers l'autre :

– Allons, embrassez-vous, mes enfants !

Nous nous exécutâmes.

– Voulez-vous que je vous conduise au jardin ? proposai-je au petit frère.

– Si vous le voulez, monsieur, me répliqua-t-il d'une voix rauque et tout à fait martiale.

Zinaïda éclata de rire derechef...

J'eus le temps de noter que jamais encore son visage n'avait eu de si belles couleurs.

Nous sortîmes avec mon nouveau compagnon. Il y avait une vieille escarpolette dans le parc. Je l'y fis asseoir et me mis en devoir de le balancer. Il se tenait raide dans son uniforme neuf, de drap épais, avec de larges parements d'or, et se cramponnait énergiquement aux cordes.

– Déboutonnez donc votre col ! lui criai-je.

– Cela n'est rien, monsieur, on a l'habitude, me répondit-il en se raclant la gorge.

Il ressemblait beaucoup à sa sœur – les yeux surtout. Cela me plaisait, certes, de lui rendre service, mais la même tristesse continuait à me ronger le cœur.

« À présent, je suis vraiment un enfant, me dis-je... mais hier... »

Je me souvins de l'endroit où j'avais laissé tomber mon couteau et réussis à le retrouver. Le cadet me le demanda, arracha une grosse tige de livèche, tailla un pipeau et le porta à ses lèvres. Othello l'imita tout aussitôt.

Mais quelles larmes ne versa-t-il pas, ce même Othello, le soir, dans les bras de Zinaïda, lorsque celle-ci le découvrit dans un coin isolé du parc et lui demanda la raison de sa tristesse !

– Qu'avez-vous ?... Mais qu'avez-vous donc, Volodia ? répétait-elle.

Voyant que je refusais obstinément de lui répondre et pleurais toujours, elle posa les lèvres sur ma joue mouillée. Je me détournai d'elle et balbutiai, à travers les sanglots :

– Je sais tout ; pourquoi vous êtes-vous jouée de moi ? Quel besoin aviez-vous de mon amour ?

– Oui, je suis coupable à votre égard, Volodia...
Oh ! je suis très fautive, ajouta-t-elle en se tordant les
bras... Mais il y a tant de forces obscures et mau-
vaises en moi-même, tant de péché... À présent, je ne
me joue plus de vous, je vous aime, vous ne sauriez
imaginer pourquoi, ni comment... Mais racontez-
moi donc ce que vous savez.

Que pouvais-je lui dire ? Elle était là, devant moi,
et me dévisageait... Aussitôt que son regard plongeait
dans le mien, je lui appartenais corps et âme...

Un quart d'heure plus tard, je courais avec le petit
frère et Zinaïda ; je ne pleurais plus, je riais, et des
larmes de joie tombaient de mes paupières gon-
flées... Un ruban d'elle me tenait lieu de cravate ; je
poussais des cris d'allégresse toutes les fois que je
réussissais à attraper la jeune fille par la taille. Elle
pouvait faire de moi tout ce qu'elle voulait.

19

J'aurais été bien embarrassé si l'on m'avait
demandé de raconter par le menu tout ce que
j'éprouvai au cours de la semaine qui suivit mon
infructueuse expédition nocturne. Ce fut, pour moi,
une époque étrange et fiévreuse, une sorte de chaos
où les sentiments les plus contradictoires, les pensées, les soupçons, les joies et les tristesses valsaient
dans mon esprit. J'avais peur de m'étudier moi-
même, dans la mesure où je pouvais le faire avec
mes seize ans. Je redoutais de connaître mes propres
sentiments. J'avais seulement hâte d'arriver au bout
de chaque journée. La nuit, je dormais... protégé par
l'insouciance des adolescents. Je ne voulais pas
savoir si l'on m'aimait et n'osais point m'avouer le

contraire. J'évitais mon père... mais ne pouvais pas fuir Zinaïda... Une sorte de feu me dévorait en sa présence... Mais à quoi bon me rendre compte de ce qu'était cette flamme qui me faisait fondre ?... Je me livrais à toutes mes impressions, mais manquais de franchise envers moi-même. Je me détournais de mes souvenirs et fermais les yeux sur tout ce que l'avenir me faisait pressentir... Cet état de tension n'aurait certainement pas pu durer longtemps... un coup de tonnerre mit brusquement fin à tout cela et m'orienta sur une nouvelle voie...

Une fois que je rentrais pour dîner, à l'issue d'une assez longue promenade, j'appris avec étonnement que j'allais me mettre à table tout seul : mon père était absent et ma mère, souffrante, s'était enfermée à clef dans sa chambre. Le visage des domestiques me fit deviner qu'il venait de se produire quelque chose d'extraordinaire... Je n'osais pas les interroger, mais, comme j'étais au mieux avec Philippe, notre jeune maître d'hôtel, grand chasseur et ami de la guitare, je finis par m'adresser à lui.

Il m'apprit qu'une scène terrible venait d'avoir lieu entre mes parents. On avait tout entendu à l'office, jusqu'au dernier mot ; bien des choses avaient été dites en français, mais Macha, la bonne, ayant vécu plus de cinq ans à Paris, au service d'une couturière, avait tout compris. Maman avait accusé mon père d'infidélité et lui avait reproché ses trop fréquentes rencontres avec notre jeune voisine. Au début, il avait essayé de se défendre, puis, éclatant brusquement, avait prononcé quelques paroles très dures à propos « de l'âge de Madame » ; ma mère avait fondu en larmes.

Puis, revenant à la charge, maman avait fait allusion à une lettre de change qu'elle aurait donnée à la vieille princesse et se serait permis des remarques fort désobligeantes sur son compte et sur celui de sa fille. Là-dessus, mon père l'avait menacée...

– Tout le malheur est venu d'une lettre anonyme, ajouta Philippe... On ne sait toujours pas qui a bien pu l'écrire ; sans cela, le pot aux roses n'aurait jamais été découvert.

– Mais est-ce qu'il y eut vraiment quelque chose ? articulai-je à grand-peine, en sentant mes bras et mes jambes se glacer, tandis que quelque chose frissonnait au fond de ma poitrine.

Philippe cligna de l'œil d'un air entendu :

– Que voulez-vous, ce sont là des histoires qu'on ne peut pas cacher éternellement... Votre père a beau être prudent, mais il lui a bien fallu, par exemple, louer une voiture... On ne peut jamais se passer des domestiques.

Je renvoyai le maître d'hôtel et m'effondrai sur mon lit...

Je ne pleurais pas, ne m'abandonnais pas au désespoir, ne me demandais pas quand et comment cela s'était produit, ne m'étonnais point de ne pas m'en être douté plus tôt, n'accusais même pas mon père... Ce que je venais d'apprendre était au-dessus de mes forces... J'étais écrasé, anéanti... Tout était fini... Mes belles fleurs gisaient, éparses autour de moi, piétinées, flétries...

20

Le lendemain, maman annonça qu'elle retournait en ville.

Mon père se rendit dans sa chambre et resta longtemps en tête à tête avec elle. Personne n'entendit ce qu'ils se dirent, mais ma mère ne pleura plus. Elle devint visiblement plus calme et demanda à manger, mais resta inébranlable dans sa décision et ne sortit pas de sa chambre.

Tout le jour, j'errai, obnubilé, mais ne descendis pas au jardin et évitai de regarder une seule fois dans la direction du pavillon.

Le soir, je fus témoin d'un événement extraordinaire. Mon père reconduisait Malevsky dans le vestibule, en le tenant par le bras, et lui déclara d'une voix glaciale, devant les domestiques :

– Il y a quelques jours, on a montré la porte, dans certaine maison, à Votre Excellence. Je ne veux pas d'explications pour le moment, mais je tiens à vous faire savoir que si jamais vous vous représentez chez moi, je vous ferai passer par la fenêtre. Je n'aime pas beaucoup votre écriture.

Le comte s'inclina, serra les dents, rentra la tête dans ses épaules et se retira, l'oreille basse.

On commença à faire les préparatifs de notre départ. Nous possédions un immeuble à Moscou, dans le quartier d'Arbat. Manifestement, mon père n'avait plus grande envie de prolonger notre séjour à la villa, mais avait réussi à persuader ma mère de ne pas faire d'esclandre.

Tout se passait sans fausse précipitation. Maman avait demandé que l'on transmît ses adieux à la vieille princesse, en s'excusant de ne pas lui rendre visite avant le départ, en raison de son état de santé.

J'errais comme une âme en peine, obsédé par un seul désir : celui d'en finir au plus vite. Une pensée me poursuivait pourtant : comment se faisait-il qu'elle, une jeune fille et de plus une princesse, eût été capable de se décider à cela, sachant que mon père n'était pas libre et que, d'un autre côté, Belovzorov s'offrait à l'épouser ? Sur quoi avait-elle compté ? Comment n'avait-elle pas craint de gâcher son avenir ?... C'est bien cela le véritable amour, la vraie passion, le dévouement sans bornes, me disais-je... Je me souvins d'une phrase de Louchine : « Il est des femmes qui trouvent de la douceur dans le sacrifice... »

J'aperçus une tache blanche à la croisée d'en face... Zinaïda ?... C'était bien elle... Je n'y tins plus. Je ne pouvais pas me séparer d'elle sans un dernier adieu... Je guettai une minute propice et courus au pavillon.

La vieille princesse me reçut dans le salon, malpropre et négligée, selon son habitude.

– Comment se fait-il que vos parents s'en aillent si tôt ? me demanda-t-elle en fourrant du tabac dans ses narines.

Je la regardai et me rassurai aussitôt. La « lettre de change » mentionnée par Philippe me tenait à cœur... Mais elle ne savait rien... C'est du moins ce que je crus.

Zinaïda se montra sur le seuil de la pièce voisine, tout de noir vêtue, blême, les cheveux défaits... Elle me prit par la main et m'emmena avec elle, sans rien dire.

– J'ai entendu votre voix et suis sortie aussitôt, commença-t-elle... Alors, méchant garçon, vous êtes capable de nous quitter si facilement ?

– Je suis venu vous dire au revoir, princesse, murmurai-je... et probablement adieu... On vous aura sans doute annoncé déjà notre départ...

Elle me regarda fixement.

– Oui, on me l'a dit. Merci d'être venu. Je croyais déjà ne plus vous revoir. Ne gardez pas un mauvais souvenir de moi. Je vous ai rendu parfois malheureux, et, pourtant, je ne suis pas ce que vous pensez.

Elle me tourna le dos et s'appuya à la croisée.

– Non, je ne le suis pas... Je sais que vous pensez du mal de moi.

– Moi ?

– Oui, vous... vous...

– Moi ? répétai-je encore avec amertume, et mon cœur frémit de nouveau, subjugué par son charme indéfinissable, mais si puissant. Moi ?... Quoi que vous fassiez, Zinaïda Alexandrovna, et quelles que soient les souffrances qu'il me faille endurer de vous, sachez bien que je vous aimerai et vous adorerai jusqu'à la fin de mes jours.

Elle se tourna brusquement vers moi, ouvrit les bras, enlaça ma tête et m'embrassa avec chaleur. Dieu sait à qui était adressé ce baiser d'adieu, mais je savourai avidement sa douceur. Je savais qu'il ne se répéterait plus jamais. Adieu... adieu...

Elle s'arracha à mon étreinte et s'éloigna. Je me retirai également... Je ne saurais vous décrire le sentiment que j'éprouvai à ce moment-là ; je n'aimerais pas le goûter de nouveau, mais en même temps, je m'estimerais malheureux si je ne l'avais jamais connu...

Nous partîmes, et je mis longtemps à me détacher du passé, à me remettre au travail. La blessure se cicatrisait, mais lentement.

Fait étrange, je n'éprouvais aucun ressentiment à l'égard de mon père ; au contraire, ma considération pour lui s'était encore accrue... Je laisse aux psychologues le soin d'expliquer ce paradoxe – s'ils le peuvent.

Un beau jour, en me promenant sur le boulevard, je croisai Louchine et ne dissimulai pas ma joie. Il m'était éminemment sympathique à cause de son caractère droit et loyal. En outre, il évoquait tant de souvenirs chers à mon cœur. Je m'élançai vers lui.

– Ah ! ah ! c'est vous, jeune homme, fit-il en fronçant les sourcils... Attendez un peu que je vous examine... Là... Le teint est encore un peu brouillé, mais les yeux n'ont plus leur éclat morbide... Vous ne ressemblez plus à un brave toutou bien apprivoisé, mais à un homme lige... J'aime cela... Eh bien, que faites-vous ? Vous étudiez ?

Je soupirai. Je ne voulais pas mentir, mais, en même temps, j'avais honte d'avouer la vérité.

– Allons, allons, ne soyez pas confus... Cela n'a pas grande importance... L'essentiel, c'est d'avoir un genre de vie normal et de ne pas se laisser égarer par la passion. Mauvais... très mauvais... Il ne faut pas qu'une lame vous emporte : mieux vaut se réfugier sur une pierre et réussir au moins à se tenir d'aplomb... Quant à moi, je tousse... Vous le voyez... À propos, savez-vous ce qu'est devenu Belovzorov ?

– Non, je ne sais rien.

– Disparu... Parti pour le Caucase, me suis-je laissé dire. Que cela vous serve de leçon, jeune homme. Et tout cela provient de ce qu'on ne sait pas s'arracher à ses filets... Quant à vous, je crois que vous en êtes sorti indemne... Seulement, attention, une autre fois, ne vous laissez pas prendre... Adieu !

« Je ne me laisserai plus prendre, me dis-je... Je ne la reverrai plus... »

Le sort en disposa autrement et je devais revoir encore une fois Zinaïda.

21

Chaque jour, mon père sortait à cheval. Il avait une belle bête anglaise, roux-gris, avec une encolure fine et élancée et de longs jarrets. Seul, mon père pouvait la monter.

Une fois, il entra dans ma chambre, et je m'aperçus aussitôt qu'il était d'excellente humeur, ce qui ne lui était pas arrivé depuis longtemps. Il allait partir et avait déjà mis ses éperons. Je lui demandai de me prendre avec lui.

– Autant jouer à saute-mouton, me répliqua-t-il. Tu ne pourras jamais me suivre sur ton canasson.

– Mais si. Je vais mettre des éperons, comme toi.

– Soit, viens, si cela t'amuse.

Nous nous mîmes en route. J'avais un petit cheval moreau, tout couvert de poils, assez solide sur ses jarrets et fort éveillé. Il est vrai qu'il lui fallait donner tout son train quand l'Electric de mon père se mettait au galop ; malgré cela, je ne traînais pas.

Jamais je n'ai vu de cavalier comme mon père ; il se tenait en selle avec tant de grâce désinvolte que l'on eût dit que le cheval lui-même s'en rendait compte et était fier de son maître. Nous longeâmes tous les boulevards, contournâmes le Champ Dévitchié, franchîmes plusieurs palissades (j'avais peur, au début, mais mon père haïssait les poltrons, c'est pourquoi, bon gré mal gré, je me dominai), traversâmes deux fois la Moskowa... Je me disais déjà que nous allions rentrer, d'autant plus que mon père s'était aperçu de la fatigue de mon cheval, quand, tout à coup, il me distança et s'élança à toute allure dans la direction du gué Krimsky... Je le rattrapai. Parvenu à la hauteur d'un monceau de vieilles poutres, il mit prestement pied à terre, m'ordonna d'en faire autant, me jeta la bride d'Electric et me recommanda de l'attendre là. Après quoi, il tourna dans une petite ruelle et disparut. Je me mis à marcher de long en large devant le parapet du quai, en tirant les deux montures derrière moi et me querellant avec Electric, qui ne cessait de secouer la tête, de tirer, de renifler et de hennir ; dès que je m'arrêtais, il labourait le sol de ses quatre fers, mordait mon petit cheval, poussait des cris aigus et se comportait en vrai *pur-sang**.

Mon père ne revenait pas. Une humidité désagréable montait du fleuve. Il se mit à bruiner, et les poutres grises et stupides, dont la vue commençait à m'excéder, se couvrirent de petites taches noirâtres.

Je m'ennuyais à mourir, et mon père ne revenait pas. Un vieux garde finnois, coiffé d'un shako monumental en forme de pot et une hallebarde à la main (que pouvait-il bien faire sur les quais de la Moskowa ?), s'approcha de moi et tourna vers moi son visage ratatiné de vieille paysanne :

– Que faites-vous là avec vos chevaux, monsieur ? Passez-moi les brides, voulez-vous, je vais vous les garder.

Je ne répondis pas. Il me demanda du tabac. Pour me débarrasser de lui, je fis quelques pas dans la direction de la ruelle. Puis je m'y aventurai, tournai le coin et m'arrêtai... Je venais d'apercevoir mon père, à une quarantaine de pas en avant, appuyé sur le rebord de la fenêtre ouverte d'une petite maison en bois... Une femme était assise, à l'intérieur de la pièce, vêtue d'une robe sombre, à moitié dissimulée par un rideau. Elle parlait à mon père ; c'était Zinaïda.

Je restai bouche bée... C'était assurément la dernière des choses à quoi je me serais attendu. Mon premier mouvement fut de fuir. « Mon père va se retourner, me dis-je, et alors je suis perdu !... » Mais un sentiment étrange, plus fort que la curiosité et même que la jalousie, me retint où j'étais. Je me mis à regarder, dressai l'oreille. Mon père avait l'air d'insister, et Zinaïda n'était pas d'accord avec lui. Jamais je n'oublierai son visage tel qu'il m'apparut alors : triste, grave, avec une expression de fidélité

* En français dans le texte.

impossible à décrire, et surtout de désespoir – oui, du désespoir, c'est le seul mot que je puisse trouver. Elle répondait par monosyllabes, les yeux baissés, et se contentait de sourire d'un air humble et têtu à la fois.

À ce seul sourire je reconnus la Zinaïda d'autrefois. Mon père haussa les épaules, fit mine d'arranger son chapeau – un geste d'impatience bien caractéristique de sa part... Ensuite j'entendis : «*Vous devez vous séparer de cette*...*» Zinaïda se redressa, étendit le bras... Et il se produisit alors une chose incroyable : mon père leva brusquement sa cravache, avec laquelle il fustigeait les pans poussiéreux de sa veste, et cingla violemment le bras de la jeune fille, nu jusqu'au coude. J'eus peine à retenir un cri. Zinaïda tressaillit, regarda mon père en silence, porta lentement sa main à ses lèvres et baisa la cicatrice rouge... Mon père jeta la cravache, monta en courant les marches du perron et bondit à l'intérieur de la maison... Zinaïda se retourna, étendit les bras, rejeta la tête en arrière et disparut.

Effrayé et stupéfait, je m'élançai, traversai la ruelle, faillis laisser partir Electric et me retrouvai enfin sur le quai.

Je savais bien que mon père, malgré son calme et sa retenue, était sujet à ces accès de rage ; néanmoins, je n'arrivais pas à comprendre la scène dont j'avais été témoin... Au même instant, je compris que jamais je ne pourrais oublier le geste, le regard, le sourire de Zinaïda, que son nouveau visage ne s'effacerait pas de ma mémoire...

* En français dans le texte.

Je contemplais le fleuve, comme un automate, et ne m'apercevais pas des larmes qui coulaient sur mes joues... Je pensais : « On la bat... »

– Eh bien ! donne-moi mon cheval ! cria mon père derrière moi.

Machinalement, je lui remis les brides. Il sauta en selle sur Electric. Le cheval, transi de froid, se cabra et fit un saut de trois mètres... Mon père le maîtrisa rapidement, lui laboura les flancs avec ses éperons et le frappa au cou avec son poing...

– Dommage que je n'aie pas de cravache ! marmotta-t-il.

Je me souvins du sifflement de la cravache, tout à l'heure.

– Qu'en as-tu fait ? me risquai-je à lui demander après un silence.

Il ne répondit rien et, me devançant, mit son cheval au galop. Je le rattrapai : je tenais absolument à voir son visage.

– Tu t'es ennuyé sans moi ? fit-il en serrant les dents.

– Un peu. Où as-tu perdu ta cravache ? lui demandai-je de nouveau.

Il me jeta un rapide coup d'œil.

– Je ne l'ai pas perdue... Je l'ai jetée...

Il baissa la tête, rêveur, et pour la première fois je m'aperçus combien de tendresse et de douleur pouvaient exprimer ses traits austères.

Il repartit au galop, je ne parvins plus à le rejoindre et rentrai à la maison un quart d'heure après lui.

« C'est donc cela l'amour, me disais-je, la nuit, installé devant ma table de travail où livres et cahiers avaient fait leur réapparition... C'est cela la vraie passion... Peut-on ne pas se cabrer, ne pas se révolter... même si l'on adore la main qui vous frappe ?... Il faut croire que oui... quand on aime vraiment... Et moi, imbécile que j'étais, j'imaginais que... »

J'avais beaucoup mûri depuis un mois, et mon pauvre amour, avec toutes ses inquiétudes et ses tourments, me sembla bien petit, bien puéril, bien mesquin devant cet inconnu que j'entrevoyais à peine, devant ce visage étranger, séduisant mais terrible, que je tâchais vainement de discerner dans la pénombre...

Je fis, cette nuit-là, un rêve singulier, effrayant... Je pénétrais dans une pièce basse et sombre ; mon père était là, armé de sa cravache, et tapait du pied ; blottie dans un coin, Zinaïda portait une raie rouge non plus au bras, mais au front... Belovzorov se dressait derrière elle, tout couvert de sang, entrouvrait ses lèvres blêmes et faisait, dans la direction de mon père, un geste menaçant...

Deux mois plus tard, j'entrais à l'Université, et encore six mois après, mon père mourait d'une attaque d'apoplexie, à Saint-Pétersbourg, où nous venions de nous installer tous. Peu de jours avant cela, il avait reçu une lettre de Moscou qui l'avait extraordinairement agité... Il était allé supplier ma mère et – chose incroyable – l'on me raconta qu'il avait pleuré !

Dans la matinée du jour où il devait succomber, il avait commencé d'écrire une lettre pour moi, en français : « Mon fils, méfie-toi de l'amour d'une femme, méfie-toi de ce bonheur, de ce poison... » Après sa mort, maman envoya une somme considérable à Moscou.

22

Quatre ans s'écoulèrent... Je venais de terminer mes études à l'Université et n'étais pas encore bien fixé sur ce que j'allais entreprendre, ne sachant à quelle porte frapper. En attendant, je ne faisais rien. Un soir, au théâtre, je rencontrai Maïdanov. Il s'était marié et avait obtenu une situation. Je ne le trouvai pas changé pour cela : toujours les mêmes élans d'enthousiasme – mal à propos – et les mêmes accès de mélancolie noire et subite.

– À propos, me dit-il, savez-vous que Mme Dolskaïa est ici ?

– Mme Dolskaïa ?... Qui est-ce ?

– Comment, vous l'avez déjà oubliée ? Voyons, l'ex-princesse Zassekine, celle dont nous étions tous amoureux... Vous ne vous rappelez pas... la petite villa près de Neskoutchny.

– Elle a épousé Dolsky ?

– Oui.

– Et ils sont ici, au théâtre ?

– Non, mais ils se trouvent de passage à Saint-Pétersbourg. Arrivée depuis quelques jours, elle a l'intention d'aller faire un séjour à l'étranger.

– Quel genre d'homme est-ce, son mari ?

– Un très brave garçon, un ancien collègue de Moscou... Vous comprendrez qu'après cette histoire... vous devez être plus au courant que n'importe qui... (là-dessus, il grimaça un sourire plein de sous-entendus) il ne lui était pas facile de se marier... Il y a eu des conséquences... Mais, avec son intelligence, rien n'est impossible. Allez donc la voir, cela lui fera plaisir. Elle a encore embelli.

Maïdanov me donna l'adresse de Zinaïda. Elle était descendue à l'hôtel Demout... De vieux souvenirs remuèrent au fond de mon cœur et je me promis d'aller rendre visite dès le lendemain à l'objet de mon ancienne « passion ».

J'eus un empêchement... Huit jours passèrent, puis encore huit autres. En fin de compte, lorsque je me présentai à l'hôtel Demout et demandai Mme Dolskaïa, il me fut répondu qu'elle était morte, il y avait quatre jours de cela, en mettant un enfant au monde.

Il me sembla que quelque chose se déchirait en moi. L'idée que j'aurais pu la voir, mais ne l'avais pas vue et ne la reverrais plus jamais s'empara de mon être avec une force inouïe, comme un reproche amer.

– Morte ! répétai-je en fixant le portier avec des yeux aveugles...

Je sortis lentement et m'éloignai au hasard, droit devant moi, sans savoir où j'allais... Voilà donc l'issue, voilà le terme qui guettait cette vie jeune, fiévreuse et brillante !

Je me disais cela en imaginant ses traits chéris, ses yeux, ses boucles dorées, enfermés dans une caisse étroite, dans la pénombre moite de la terre... Et cela tout près de moi, qui vivais encore... à quelques pas de mon père, qui n'était plus...

Je me perdais dans ces réflexions, forçais mon imagination, et pourtant un vers insidieux résonnait dans mon âme :

Des lèvres impassibles ont parlé de la mort
Et je l'appris avec indifférence...

Rien ne peut t'émouvoir, ô jeunesse ! Tu sembles posséder tous les trésors de la terre ; la tristesse elle-même te fait sourire, la douleur te pare. Tu es sûre de toi-même et, dans ta témérité, tu clames : « Voyez, je suis seule à vivre !... » Mais les jours s'écoulent, innombrables et sans laisser de trace ; la matière dont tu es tissée fond comme cire au soleil, comme de la neige... Et – qui sait ? – il se peut que ton bonheur ne réside pas dans ta toute-puissance, mais dans ta foi. Ta félicité serait de dépenser des énergies qui ne se trouvent point d'autre issue. Chacun de nous se croit très sérieusement prodigue et prétend avoir le droit de dire : « Oh ! que n'aurais-je fait si je n'avais gaspillé mon temps ! »

Moi de même... que n'ai-je pas espéré ? à quoi ne me suis-je pas attendu ? quel avenir rayonnant n'ai-je pas prévu au moment où je saluai d'un soupir mélancolique le fantôme de mon premier amour, ressuscité l'espace d'un instant !

De tout cela, que s'est-il réalisé ? À présent que les ombres du soir commencent à envelopper ma vie, que me reste-t-il de plus frais et de plus cher que le souvenir de cet orage matinal, printanier et fugace ?

Mais j'ai tort de médire de moi-même. Malgré l'insouciance de la jeunesse, je ne suis pas resté sourd à l'appel de cette voix mélancolique, à cet avertissement solennel qui montait du fond d'une tombe... Quelques jours après avoir appris le décès de Zinaïda, j'assistai, de mon gré, aux derniers moments d'une pauvre vieille femme qui habitait dans notre immeuble. Couverte de guenilles, étendue sur des planches rugueuses, avec un sac en guise d'oreiller, elle avait une agonie lente et pénible... Toute son existence s'était passée à lutter amèrement contre les besoins de la vie quotidienne. Elle n'avait pas connu la joie, n'avait jamais approché ses lèvres du calice de la félicité : n'aurait-elle pas dû se réjouir à l'idée de la délivrance, de la liberté et du repos qu'elle allait enfin goûter ? Et cependant tout son corps décrépit se débattit aussi longtemps que sa poitrine se souleva encore sous la dextre glacée qui l'oppressait, que ses dernières forces ne l'eurent pas complètement abandonnée. Elle se signa pieusement et murmura :

– Seigneur, pardonnez-moi mes péchés !

95

L'expression d'effroi et d'angoisse devant la mort ne s'éteignit au fond de son regard qu'avec l'ultime lueur de vie...

Et je me souviens que c'est au chevet de cette pauvre vieille que j'eus peur, soudain, pour Zinaïda et voulus prier pour elle, pour mon père – et pour moi.

1860

EXTRAIT DU CATALOGUE LIBRIO

CLASSIQUES

Affaire Dreyfus (L')
J'accuse et autres documents - n°201

Alphonse Allais
L'affaire Blaireau - n°43
A l'œil - n°50

Honoré de Balzac
Le colonel Chabert - n°28
Melmoth réconcilié - n°168
Ferragus, chef des Dévorants - n°226

Jules Barbey d'Aurevilly
Le bonheur dans le crime - n°196

Charles Baudelaire
Les Fleurs du Mal - n°48
Le Spleen de Paris - n°179
Les paradis artificiels - n°212

Beaumarchais
Le barbier de Séville - n°139

Bernardin de Saint-Pierre
Paul et Virginie - n°65

Pedro Calderón de la Barca
La vie est un songe - n°130

Giacomo Casanova
Plaisirs de bouche - n°220

Corneille
Le Cid - n°21

Alphonse Daudet
Lettres de mon moulin - n°12
Sapho - n°86
Tartarin de Tarascon - n°164

Descartes
Le discours de la méthode - n°299
(*juillet 99*)

Charles Dickens
Un chant de Noël - n°146

Denis Diderot
Le neveu de Rameau - n°61

Fiodor Dostoïevski
L'éternel mari - n°112
Le joueur - n°155

Gustave Flaubert
Trois contes - n°45
Dictionnaire des idées reçues - n°175

Anatole France
Le livre de mon ami - n°121

Théophile Gautier
Le roman de la momie - n°81
La morte amoureuse - n°263

Genèse (La) - n°90

Goethe
Faust - n°82

Nicolas Gogol
Le journal d'un fou - n°120
La nuit de Noël - n°252

Grimm
Blanche-Neige - n°248

Victor Hugo
Le dernier jour d'un condamné - n°70

Henry James
Une vie à Londres - n°159
Le tour d'écrou - n°200

Franz Kafka
La métamorphose - n°3

Eugène Labiche
Le voyage de Monsieur Perrichon - n°270

Madame de La Fayette
La Princesse de Clèves - n°57

Jean de La Fontaine
Le lièvre et la tortue et autres fables - n°131

Alphonse de Lamartine
Graziella - n°143

Gaston Leroux
Le fauteuil hanté - n°126

Longus
Daphnis et Chloé - n°49

Pierre Louÿs
La Femme et le Pantin - n°40
Manuel de civilité - n°255
(*Pour lecteurs avertis*)

Nicolas Machiavel
Le Prince - n°163

Stéphane Mallarmé
Poésie - n°135

Guy de Maupassant
Le Horla - n°1
Boule de Suif - n°27
Une partie de campagne - n°29
La maison Tellier - n°44
Une vie - n°109
Pierre et Jean - n°151
La petite Roque - n°217
Le docteur Héraclius Gloss - n°282 (*avril 99*)

Achevé d'imprimer en Europe
à Pössneck (Thuringe, Allemagne)
en avril 1999 pour le compte de EJL
84, rue de Grenelle 75007 Paris
Dépôt légal avril 1999
1er dépôt légal dans la collection : avril 1994

17   *Diffusion France et étranger : Flammarion*

ISBN 978-1-333-81373-4
PIBN 10660888

This book is a reproduction of an important historical work. Forgotten Books uses
state-of-the-art technology to digitally reconstruct the work, preserving the original format
whilst repairing imperfections present in the aged copy. In rare cases, an imperfection in
the original, such as a blemish or missing page, may be replicated in our edition. We do,
however, repair the vast majority of imperfections successfully; any imperfections that
remain are intentionally left to preserve the state of such historical works.

English
Français
Deutsche
Italiano
Español
Português

www.forgottenbooks.com

Mythology Photography **Fiction**
Fishing Christianity **Art** Cooking
Essays Buddhism Freemasonry
Medicine **Biology** Music **Ancient
Egypt** Evolution Carpentry Physics
Dance Geology **Mathematics** Fitness
Shakespeare **Folklore** Yoga Marketing
Confidence Immortality Biographies
Poetry **Psychology** Witchcraft
Electronics Chemistry History **Law**
Accounting **Philosophy** Anthropology
Alchemy Drama Quantum Mechanics
Atheism Sexual Health **Ancient History**
Entrepreneurship Languages Sport
Paleontology Needlework Islam
Metaphysics Investment Archaeology
Parenting Statistics Criminology
Motivational

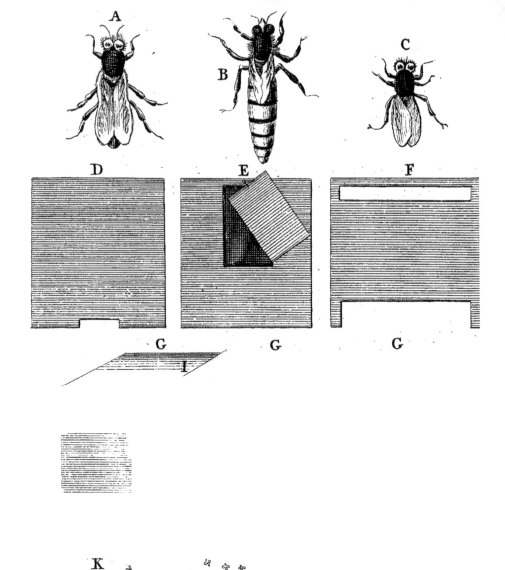

A. *The Drone or Male Bee .*
B. *The Queen or Female Bee .*
C. *The working Bee of no Sex .*
D. *Front of a Single Box .*
E. *Back .*
F. *End .*

GGG. *Three Boxes joined .*
H. *The Tape which ties the End B*
I . *The Tin stopping the Communica*
K. *The Bees issuing out of the B*
     to be taken away .
L *The Landing Board .*

Collateral BEE-BOXES.

Or, a New, Eafy, and Advantageous

METHOD

OF

MANAGING BEES.

IN WHICH

Part of the HONEY is taken away, in an eafy and pleafant Manner, without deftroying, or much difturbing the BEES; early Swarms, if defired, are encouraged, and late ones prevented.

By STEPHEN WHITE, M. A.
Rector of *Holton* in *Suffolk*.

Sic Vos *jam* Vobis.
Pauperis eft numerare Pecus. Ov~~ID. MERD SD~~

LONDON,

Printed, and fold by LOCKYER DAVIS, and CHARLES REYMERS againft *Grays-Inn-Gate, Holbourn.*
MDCCLVI.

THE
INTRODUCTION.

THE firſt Inventor of the Oc-
tagonal Bee-Boxes, which we
now and then meet with in the Gar-
dens of the Curious, was *John Gedde*
Eſq. He publiſhed his Invention, in
the Year 1675, having obtained the
King's Patent for the ſame, and likewiſe the Approbation of the Royal
Society. Theſe Boxes appear, at firſt
Sight, to be very expenſive and un-
wieldy: and every one, I believe, who
has experienced them, has found, to
his Coſt, that they anſwer only *one*
of the *Ends* the ingenious Gentleman propoſed by them, and which,

as

as his principal End, he fets forth in the Title Page of his *Englifh Apiary,* viz. *To free the Owners from the great Charge and Trouble that attends the Swarming of Bees:* that is, in other Words, to deprive the poor Bee-Mafter, of all the Profit, and one of the higheft Pleafures he can expect, from thefe ufeful and delightful Infects. This End, if it be a defirable one, every Bee-Miftrefs may obtain, without beating her Brains, but by only ordering her Artificer to provide a large Quantity of Straw, and make her Hives to contain two Bufhels a-piece.

Many Years after this, Mr. *Warder* of *Croydon* publifhed his *true Amazons,* or *Monarchy of Bees,* which has gone through no lefs than Eight Editions. He directs you, how to make the fame Sort of Boxes, with

fome

fome, not very material Alterations. He calls this a new Difcovery and Improvement, and recommends it likewife to his Reader, by telling him, it will *prevent Swarming*.

In the Approbation of the Royal Society, prefixed to Mr. *Gedde's* Book, we are told by the Gentlemen of that illuftrious Body, that in the Treatifes, relating to the Management of Bees, we find feveral Draughts, of different Bee-Hives, to the Intention of *preventing Swarming*, but that none of thofe Ways have proved fo effectual, as the Method prefcribed by Mr. *Gedde*.

Blefs me! (have I often faid to myfelf) why fo much Pains, to hinder me from increafing my fmall Stock? Why fhould thefe Gentlemen deprive me of a Pleafure I fo ardently look and long for every Spring, and which

I am

I am more delighted with, than all the other Pleasures of the Month of *May?* Can the whole Brute Creation afford a more entertaining Scene, than to see a vast Multitude of these diminutive People, merely for the Good of the State they are leaving for ever; to see them, I say, with a cheerful Alacrity, abandoning their native Country, to go and settle in a foreign Region, they know not where; quitting all their Treasures, which they have laboured so hard to procure, and fought so valiantly to defend, and going to seek an empty House, not knowing whether they shall be able to find one. Behold my little Emigrants! in Spight of all our *Swarm-Preventers*, behold, I see a Cloud of them, overshadowing my Garden! See them hurrying backwards and forwards, exulting in the

Presence

Prefence of their Sovereign, obferving her Motions, and waiting her Commands, while She, with the double Anxiety of a Queen, and a Parent, is looking for a convenient Branch, on yonder Efpaliers, where She may reft a-while, and confult what Courfe She is to take, and whither She fhall lead her loyal and beloved Subjects.

But I muft recall my licentious Imagination: I muft leave thefe Ecftafies, how pleafing foever, and confider, that while I am tranfported, the courteous Reader is unedified. It is Time he fhould know, yet I muft detain him a little longer, before he does know, what he is to find in the following Sheets.

The Smallnefs of my Cure, has afforded me more leifure Hours, than

ufually

ufually fall to the Share of a great
Part of my Brethren.   Many of thefe
Hours,´ during almoft the whole
Space of a now declining Life, have
been employed in my Bee-Garden;
with as much Innocence, I hope,
and a great deal more to my Tafte
and Entertainment, than if they had
been fpent, with a Gun and Pointer
in the Fields, or, in my Parlour,
with a Pack of Cards.   Thefe fafhi-
onable Amufements (efpecially the
latter) can afford little Entertainment
to a contemplative Mind: But the
furveying the Works of Nature, par-
ticularly the Inftincts and Polity
of many living Creatures, and the
wonderful Methods they make ufe
of, for their Suftenance and Safety,
will give a real and high Delight to a
rational Soul: and as it is next to im-
poffible,

poſſible, to turn our Thoughts to the Obſervation of theſe Creatures, without lifting them up, at the ſame Time, in Adoration of Him who formed them, this will, in a manner, ſanctify our Pleaſures, and turn even our *Diverſions*, into a *Sacrifice* to our *Maker*.

Manifold are the Works of God, and in Wiſdom has he made them all. But if my Partiality for my favourite Inſects, does not very much deceive me, their indefatigable Induſtry, their Loyalty to their Queen, the geome-trical Accuracy of their Combs, &c. are Wonders, not to be met with, in any of the innumerable Beaſts, Birds, or Inſects, that are upon the Face of this Earth.

My Fondneſs for theſe little Ani-mals, ſoon put me upon endeavour-

B ing,

ing, if poſſible, to ſave them from Fire and Brimſtone. I thought I had Reaſon to be content, to ſhare their Labours, for the preſent, and great Reaſon to rejoice, if I could, at the ſame Time preſerve their Lives, to work for me another Year. The main Drift therefore of all my Obſervations and Experiments has been, to diſcover an eaſy and cheap Method, ſuited to the Abilities of the common People, of taking away ſo much Honey as can well be ſpared, without deſtroying or ſtarving the Bees: And by the ſame Means to *encourage*, rather than *prevent* Swarming, I mean firſt, and ſeaſonable Swarms; for ſecond, and late Swarms, being little worth, and very prejudicial to the old Stocks, they ought, and in the Method I propoſe, may eaſily be pre-

vented.

vented. This Defign, I can affure
every Lover of Bees, and every Lover of himfelf, *i. e.* of his own Intereft, with all the Confidence of a
Projector, I have, after a great many
unavailing Experiments, at laft fully
accomplifhed.

I don't wonder, that *Epicurus's*
Atoms, without either Hand or
Head to direct them, fhould be fo
long in forming the Univerfe, and
fhould make fo many wrong and
imperfect Worlds, before they hit
on a right one, fince my Deal
Boards, much fitter Materials for
the Purpofe, than Atoms, affifted
with all the Mechanical Skill, that
I, and my ingenious Carpenter, are
Mafters of, have been jumbled together, in fuch a Variety of wrong
and ineffectual Forms, and been

almoft

almoſt Forty Years in making a Bee-Box ; ſuch a plain and ſimple Bee-Box, as you will ſee in my firſt Chapter.

A New,

A New, Eafy, and Advantageous

METHOD

OF

MANAGING BEES.

CHAP. I.

Directions how to make a single Box.

IT may be made of Deal, or any other Boards, well feafoned, that are not apt to warp or fplit. The Boards fhould be near an Inch thick. Let it be eight Inches and half in Height and Breadth, every Way, meafuring within, and including the Space the thin Boards take up at the Ends, as if there were no fuch Boards.

Boards. With thefe Dimenfions, it will contain about a Peck and one Pint. The Box is in Figure Four Square. The Front Part, muft have a Door cut in the Middle of the Bottom Edge, about Four Inches wide, and half an Inch in Height, which will give free Liberty to the Bees to pafs through, yet not be large enough for their Enemy the Moufe to enter. In the back Part you muft cut a Hole with a Rabbit in it, in which you are to fix a Pane of the cleareft and beft Crown-Glafs, about Five Inches in Length, and Three in Breadth, and faften it with Putty. Let the Top of the Glafs be placed, as high as the Roof within-fide, that you may fee the upper Part of the Combs, where the Bees, with their Riches, are moftly placed. You will, by that means, be better able to judge

of

of their State and Strength, than if your Glafs was fixt in the Middle. Such as are defirous of feeing more of the Bees Works, may make the Glafs as large as the Box will admit, without weakening it too much; which may be prevented by nailing a little Slip of Board crofs the Bottom. The Glafs muft be covered with a thin Piece of Board, by Way of Shutter, which may be made to hang over the Glafs, by a Piece of Tape, going through the upper Part of the Shutter, and faftened on the Top of the Box, by thrufting both Ends into a Gimlet Hole; and after driving a Peg pretty hard into the Hole, you may cut off the Peg clofe to the Box.

As for the two other Sides of the Box, which, for Diftinction Sake, I call *Ends*, they are not to be wholly enclofed.

enclofed. A Space is to be left in each End, near an Inch wide at the Top, and another Space more than an Inch wide at the Bottom: which Spaces are to be extended in Length, the whole Breadth of the Box. Thro' thefe, the Bees are to have a Communication from one Box to another. To form thefe Communications, a thin Piece of flit Deal muft be let into the Edges of the Front and the back Boards, fo as to be flufh with the Edges of thofe Boards.

In the next Place, you are to provide a Piece of flit Deal, full half an Inch thick, and large enough to cover one of the Ends, but to be ufed indifferently, fometimes at one End, and fometimes at the other: for which Reafon, it is not to be nailed, but tied on, in the following Manner; viz. Take about three Quarters

of

of a Yard of pretty ſtrong Tape, which I chuſe, becauſe it is leſs apt to relax and flacken than Pack-thread. Fix one End of the Tape, in the Front-Board, about Six Inches above the Mouth, and directly over the Middle of it. Let this End of the Tape be faſtened in a Gimlet-Hole, with a Peg drove hard in, and then cut off cloſe to the Board, as was directed for the Shutter. You are next to bore a Hole on each Side of your Glaſs, Six Inches and a Half from the Bottom of the Box: into each of theſe Holes, drive a Peg, which may ſtand out more than an Inch from the Box. Let the Pegs be made of Aſh, which is a tough Wood, and let one End of them be flat, that you may ſerue them out or in, the more conveniently. When this is done, take

C

your

your loofe End-Board, and fet it in its proper Place, fo that it may co-ver one of the Ends, it matters not which: then drawing your Tape as tight as you can over it, faften the End of it to one of the Pegs by the Side of the Glafs. This will confine your End-Board, and keep the up-per Part of it clofe to the Box: and if the lower Part fhould gape a little, or ftart from the Box, you may keep it tight, by a Nail or two, drove fo gently into the Stool, on which the Box is placed, that you may, when-ever you have Occafion, draw them out with your Fingers: Or, if you like it better, you may add another Tape, with Pegs as before, to go crofs the lower Part of the End-Board.

The Gimlet Holes I have directed, need not be carried quite through the Board,

Board, and it is better they fhould not: for if any Part of the String appears within the Box, it will give Offence to the Bees, and coft them a great deal of Pains to pull it to Pieces.

You have now only to fix a Stick, croffing the Box from End to End, about Three Inches from the Bottom, to be a Stay to the Combs; and when you have painted the whole, to make it more durable, your Box is finifhed.

The judicious Bee-Mafter, I hope, will here obferve, that the Form of the Box I have been defcribing, is as plain, as it is poffible for it to be. It is little more than Three Square Pieces of Board nailed together: fo that a poor Cottager, who has but Ingenuity enough to faw a Board into the given Dimenfions, to fquare it exactly, and to drive a Nail, may make his own Boxes well enough, without the Help, or the Expence of a Carpenter.

C H A P. II.

How to hive a Swarm into the Boxes.

TO do this, you are to take a Box, with one End-Board tied to it (as before directed) on your Right Hand, and another Box, with the End-Board tied to it on your Left Hand; set these two together, leaving the Communications open from one Box to another : then tye the Boxes together, as fast as you can, with a String going Five or Six Times round them. The Boxes should not

be

be tied, till you are juft going to ufe them, becaufe the String will grow flack with ftanding, and then the Boxes will be apt to flip one from the other, as you handle them.

Be careful to tye the Shutters clofe to the Glafs, that the Light may not enter: for the Bees feem to look up-on the Light, as a Hole, or Breach in their Houfe, and, on that Ac-count, may not fo well like their new Habitation. But the principal Thing to be obferved, at this Time, is to cover the Boxes, as foon as ever the Bees are hived, with a Linen Cloth, thrown loofely over them; and it may be proper to lay fome green Boughs upon them befides, to protect them from the piercing Heat of the Sun. Boxes will admit the Heat much fooner than Straw-Hives; and if the Bees find their Houfe too

I   hot

hot for them, they will be wife e-
nough to leave it. In all other Refpects, they are to be hived in Boxes,
after the fame Manner as in common
Hives, which being well known, I
need not ſtay to give particular Directions concerning it.

CHAP. III.

*In what Manner and Situation to place
the Bees when hived.*

MR. *Gedde*, and Mr. *Warder*,
have directed very *coſtly Bee-
Houſes* (as it is fit they ſhould) for
the Reception of their *fine-wrought
Boxes*. Theſe may ſerve well enough
for an Ornament to a Gentleman's
Garden, or for the Amuſement of
the Curious: but my Endeavours are
chiefly

chiefly laid out, and my Boxes intended, for the Ufe and Advantage
of the induſtrious Farmer, and poor
Cottager: and I do here aſſure them,
from my own long Experience, that
their Bees will be ſafe, in theſe Boxes, though they ſtand in the open
Air, in the coldeſt Winter. Be but
careful to ſkreen them from the *Sun*,
and then bid Defiance to the puffing
Cheeks of *Boreas:* ſkreen them from
the Summer Sun, becauſe the Heat
of it is greater than the Bees, or their
Works, can bear: and ſkreen them
from the Winter Sun, the Warmth
of which will draw them from that
lethargic State, which is natural to
Bees, as well as many other Inſects,
in the Winter Seaſon. A certain Degree of Cold, and a greater Degree
of it than is commonly imagined, is
favourable to Bees in Winter: it
chills,

chills, and benumbs their little Bo-
dies, fo that their animal Spirits are
very little wafted by Perfpiration, and
confequently, there is little or no
Occafion to recruit them by Eating.
If a fharp Froft continues for the
Space of Two or Three Months, without Intermiffion, you may obferve,
through your Glaffes, that the Bees
are, all this Time, clofely linked together in Clufters, between the
Combs. If they are not altogether
without Motion, yet 'tis certain they
ftir not from their Places, while the
Cold continues, and confequently eat
not at all: and if fuch a Froft was
to laft all the Winter, our Bees, I am
perfuaded, would be no Sufferers,
either by the Cold or by Fafting: on
the contrary, they would fave all
their Winter Stores : and if you could
fuppofe the Flowers to fpring fud-
denly

denly out of the Ground, at the End of this Froſt, ·they would as ſuddenly recover their former Activity, with the returning Heat, and go forth to their Labours, with their uſual Vigour and Alacrity. This gives us a plain, and the true Reaſon, why more Bees are obſerved to die in warm and open, than in cold and ſevere Winters: and for the ſame Reaſon, Mr. *Gedde's* Obſervation, I am confident, is a very juſt one, that *Bees, ſtanding on the North Side of a Building, whoſe Height intercepts the Sun Beams all the Winter, will waſte leſs of their Proviſion (almoſt by Half) than others ſtanding always in the Sun; for coming ſeldom forth, they eat little, and yet in the Spring are as forward to work, and to ſwarm, as thoſe that had twice as much Honey, in the Autumn before.*

Let

Let your Bees therefore be so placed, that the Sun may not shine upon them at all in the Winter, to entice them Abroad, when they can get nothing but an Appetite, which, though it be necessary to the Health of a Man, is not always requisite to the Health of an Insect.

As for the Summer Sun, though the Boxes (as I have said) must be carefully protected from it, the experienced Bee-Master will easily understand my Meaning, *viz.* that it must not be suffered to dart its Rays on the Top, or Sides of the Boxes, which they will by no means bear; but it ought to shine on the Skirts of them, where the Entrance for the Bees is made, which will be of Service to them, in many Respects.

Your Boxes must likewise be sheltered from Rain, as common Hives are; for the Wet getting in between the Joints, will caufe the Combs to mould, and otherwife incommode the Bees. The following eafy Frame will fufficiently defend them both from Sun and Rain.

Get a pretty thick Board Seven Feet and a Half long, and One Inch wider than the Boxes, for your Floor. Let the upper Side of it be very fmooth and even, that the Boxes may ftand true upon it: then fix in the Ground Four Oaken Pofts, about the Bignefs of fuch as are ufed for drying Linen. Let the Pofts, or Pillars, be faftened together at each End with a ftrong Piece of Board, about a Foot from the Ground in this Form, ƆC for the Ends of the Floor to reft upon. This Floor muft be fupported in the Middle, to keep it from fwagging: you may then place on it Three Colonies

or

or Setts of Boxes, confifting of Three Boxes to a Sett. And there will be Room, if Need be, to add a fourth, to one of the Setts. There fhould be feveral Awger-Holes bored in proper Places in your Pillars, in which Holes you are to thruft pretty ftrong wooden Pins, on which, Floors may be fupported for Two more Rows of Boxes. Thefe Floors muft be placed, in Summer, Four or Five Inches above the Boxes underneath: in Winter they may be let down, fo as to lye flat upon the Boxes, which will keep them clofer, and warmer. You are then to defend them from the Sun by placing thin loofe Boards, one upon another, edgeways, from Pillar to Pillar, in the Front, remembring to cut Niches in thefe Boards, over againft every Mouth, or Entrance into the Boxes:

Then

Then make fome Landing-Boards,
for the Bees to pitch upon, in the
following Manner: Take a Piece of
Board three or Four Inches wide, and
in Length, about Six Inches on one
Edge, but fhorter on the other. On
one Side of this, clofe to each End,
nail a Slip of Wood, fo that it may
extend about Two Inches beyond the
Board, *See Figure* L. Thruft the
Two Ends ftanding out, into the
Mouth of the Box, fo that the Land-
ing-Board may come clofe to the
Floor, and be level with it, or rather
bending a little downwards.

The laft Thing you are to provide,
is a Cover or Roof for the whole,
which had beft be a moveable one.
This may be made with Two broad
Boards, or Four narrow ones feather-
edged, faftened together, in the Form
of the Roof of a Houfe, only much
flatter.

flatter. In this Roof, you may make Four Holes, for the Tops of the Four Pillars to go into, which will be a fufficient Stay or Faftening for it, and you may let it down, or raife it up, according to the Number of your Boxes, or take it quite off, whenever there is Occafion. I have only to add, that every Part of the Frame fhould be well painted, to make it bear the Weather, and be the more lafting.

CHAP. IV.

How to order the Bees in the Boxes.

HAVING hived a Swarm in Two Boxes, as before directed, and placed them, in the Evening, where they are to remain; the String, with which

which you tied the Boxes together,
may then be taken off: and the Shutters for your Glaffes being at Liberty,
obferve which of the Boxes the Bees
have made Choice of, for their prefent Refidence, and ftop the Mouth
of that Box with a Slip of Board, the
End of which is fitted to the Opening,
fo that they may work only out of
the empty Box: The Reafon of
which will appear by and by. After a few Days, if the Weather be
fine, your little Labourers will fhew
you a beautiful Specimen of their
Work: You will fee, with Pleafure,
Two or Three delicate, white, and
almoft tranfparent Combs, appear a-
mong the Bees. They will fill one
Box with their Works, before they
begin in the other; foon after they
have begun in the fecond, it will be
proper to give them a third, which is

thus

thus performed. Your provident Bees, by this Time, will have joined the End-Board to the Box, all round the upper Communication, with a gluey Sort of Refin, which the Ancients called *Propolis*; for they are careful to ftop every little Hole or Crevice that is found in their Houfes, with this refiny Subftanee, juft as we careen our Ships with Pitch and Tar. You are therefore to take a thin Knife, and cut through this Refin, till you find the End-Board at Liberty. After this, you muft loofen the String that ties this Board, and having provided a Sheet of double Tin, thruft it gently between the Box and the End-Board, to feparate them: then taking away the Board, fet an empty Box in the Room of it. Which done, with a gentle Hand draw away your Tin, and thruft the new Box clofe to the other.

ᴛ

Your

Your Bees will be pleafed with this Addition to their Habitation. Inftead of a Dwelling of *Straw*, which is no better than living in a *Barn*, you had before given them a *Hall*, and *Parlour*, neatly wainfcoted : and now you furnifh them with a *Drawing-Room*, where for. fome time, they may cool and refrefh themfelves in a fultry Day, and afterwards fill it with their Stores.

You are here likewife to remember, that the Mouth of this third Box muft be ftopped like the firft, that their Entrance may be only in the fecond or middle Box.

E   CHAP.

CHAP. V.

How to take away Part of the Ho-ney, without deſtroying, or much diſturbing the Bees.

NO true Lover of Bees, I am perſuaded, ever lighted the fatal Match, that was to deſtroy his little Innocents, with livid Flames, and a Smoak, that ſtrikes them dead with its intolerable Stench, without much Concern and Uneaſineſs. Be-ſides; we are not to imagine, that the bountiful Creator, who has in-deed given us all Things richly to *enjoy*, has likewiſe given us ſuch an uncontrollable *Right*, of *Life* and *Death*, over all his Creatures, that we may kill them at, and for our *Pleaſure*. I know no Right we have

over

over the Life of the meaneſt Inſect,
or vileſt Worm that creeps upon the
Earth, unleſs the killing it be, ſome
way or other, uſeful and beneficial to
us. We may take away the Lives of
·our Cattle, in order to ſupport our
own with the Fleſh of them : but it
would be a criminal Piece of Cruelty,
as well as Folly, to butcher an innocent Sheep, meerly for the Sake of
its Fleece, which we might take again
and again without hurting it. If
then we can take from our Bees, a
conſiderable Quantity of their ſuper-
fluous Honey and Wax, without in-
juring them; if they will work for us
another, and many other Years, and
every Year pay us fair and reaſonable
Contributions; why ſhould we treat
them with unneceſſary Cruelty, and
hurt *ourſelves* by a Greedineſs, that
will turn to our Prejudice? Avarice

often

often miftakes its own Intereft. It
never can be made to underftand, or
believe, that *Dimidium plus toto.* It is
evidently more to our Advantage, to
fpare the Lives of our Bees, and be
content with Part of their Stores, than
to kill, and take Poffeffion of the
Whole.

We have long fince been directed
how to do this, in the Ufe of Mr.
Gedde's Boxes: But the Method prefcribed, is fo tedious and difficult,
and fo perilous too to the Operator,
that it has very rarely been practifed,
and hardly ever attended with Succefs.
The Method I would recommend, and
which I practife myfelf, with Eafe
and Safety, and high Delight, is as
follows:

About the middle of *Auguft*, by
a little Infpection through your
Glaffes, you may eafily difcover;
which

which of your Colonies you may lay
under Contribution. Such as have
filled Three Boxes, will pretty rea-
dily yield you one of them, which is
paying you a larger Tax, than any
other *free-Britons*, (except the Men of
Totnefs,) would be willing to comply
with, *viz.* Seven Shillings in the
Pound. It is beft to take the Box
where there are feweft Bees, becaufe
the Queen-Bee is not likely to be
there. The propereft Time, is about
Two or Three o'Clock in the After-
noon; and though the Bees are active
and bufy at this Time of Day, yet as
you ftand behind the Frame, you will
need no Armour for the Attack, except, perhaps, a Pair of Gloves, and
a broad-brimmed Hat flouched over
your Eyes. The Operation itfelf is
no more than this: Open the Mouth
of the Box you are going to feize; or

it

it may be better if you open only that half of it, which is furtheſt from the middle Box: then, with a thin Knife, cut through the Reſin with which the Bees have joined this Box to the middle one, till you find you have ſeparated them: after which, thruſt your Sheet of Tin gently between the Boxes, and your Work is done; and you will, with Pleaſure and Surprize, obſerve the Effects of it: for the Communication being ſlopped, the Bees in the two Boxes (where it is moſt likely their Queen is) will be a little diſturbed at the Operation, but thoſe in the ſingle Box will appear diſtracted. They ſoon become ſenſible, that their Sovereign is not amongſt them: they then run to and fro in the utmoſt Hurry and Confuſion, and ſend forth a mournful Cry, eaſily to be diſtinguiſhed from

their

their other Notes. Immediately it is proclaimed, throughout the Territories, that the *Society* is *diſſolved. Amiſſâ rupere fidem*; and that every one is to ſhift for himſelf as well as he can. Accordingly, they iſſue out at the new Door you have opened for them; but not in a Body, as when they ſwarm, for the Body, with Reſpect to this Box, is no more. Nor do they come out, with that calm and cheerful Activity, as when they go forth to their Labours; but now and then a Bee or two burſts out, with a wild Flutter, and in a viſible Rage and Diſorder: but this is quickly over; for no ſooner are they got abroad, but they ſpy their Fellows, and fly to them with eager Haſte, at the uſual Mouth of the middle Box: and knowing very well, by the Calmneſs of their Behaviour, that the Queen is fafe, and rejoicing at being again reftored to the Common-wealth, they either forget, in the midft of their Tranfports, or do not at all regret the Lofs of the Riches they have left behind them. Thus in an Hour or two, (for they go out flowly) you will have a Box of pure Honey, without a *living Bee* in it to moleft you, and without *dead Bees* too, as you always have, when you burn them, which are mingled with your Honey, and both wafte and damage it.

When you carry off the Prize, (which having fo fairly taken, you may with a fafe Confcience condemn, and enjoy with Pleafure) you are to fet an End-Board in the Room of it, for they will have no Occafion for an empty Box before the following Spring: then drawing away your Tin, and tying the End-Board as tight as you can, with

with your Tape, you may take your
Leave of them, wifhing them a *cold
Winter*, and a *found Sleep* till *Fe-
bruary*.

CHAP. VI.

*Of the Advantages of thefe Boxes above
Straw-Hives, or the Boxes invented
by Mr.* Gedde.

1. **N**O Part of the Honey can
be taken out of Straw-Hives,
without deftroying the Bees: (for
driving them, is, in effect, deftroying them) and this you are obliged to
do, when your Hives are three or
four Years old; becaufe then the
Combs (not the Bees, as is vulgarly
fuppofed) grow old, and unfit for Ufe:
and our Bees, for what Reafon I

F   know

know not, will not demolifh their old Combs, in order to make new ones: fo that by burning your *old Hives*, and your *poor ones*, neither of which yield much Honey, you commonly leffen your Stock, as much, or more, than your Swarms will make good. Whereas in the Ufe of thefe Boxes, you are *every Year*, by Swarms, *encreafing your Stock*; and barring Accidents, and excepting that you muft, now and then, burn a very poor one, you *never diminifh it*. For your Boxes, in this Method, are all of them, by Succeffion, fupplied with *new Combs*, before the old ones are decayed: and as for the Bees, if you guard them from *Accidents*, and fave them from *Poverty*, they will continue, by Succeffion, to the *End of the World*.

2. In

2. In this Method, you may, with very little Trouble, either give them *more,* or confine them in *less Room,* as there shall be Occasion. If, in the Spring, you confine them to two Boxes, which are equal to a small Hive, this will cause them to swarm early : if you allow them three, which contain as much as a large Hive, your Swarms will be later, but larger : the latter, I believe, will, for the most Part, turn to best Account. After the first Swarm, it will be a greater Advantage to you than is commonly imagined, to add a third, or, if need be, a fourth Box, to prevent second and late Swarms. By this Means, all your Colonies will be well stocked with Bees, in which their Safety chiefly consists : for whenever a Hive is reduced, by over-swarming, or otherwise, to a small Number of Bees,

they

they commonly become a Prey to Robbers, or Moths, or some other of their Enemies: and though they escape their Enemies, they seldom prosper. If your Situation be good, and the Season favourable, such Colonies as require a fourth Box to prevent second Swarms, will usually allow you to take two Boxes from them in the Autumn.

3. Your Bees will be much better protected from their *Enemies*, in these Boxes, than in Hives. *Mice* pretty frequently make their Way through Straw-Hives, and destroy them, but unless you make the Mouth too large, they can no Ways enter your Boxes.

The *Moth* is, in Appearance, the weakest of all their Enemies, yet destroys more Bees, than all their Enemies besides. She lays her Eggs, under the Skirts of the Hives, and the

I

Warmth

Warmth of the Bees hatch them to their own Deftruction. From the Egg iffues forth a fmall whitifh Worm, or Caterpillar, which inftantly fpins it-felf a fine, filken Sheath, or Gallery, which protects it from the Attacks of the Bees: for thefe Galleries being wrought like a Spider's Webb, the Bees avoid them, it may be fuppofed, for Fear of being entangled therein. Thefe Worms, as they increafe in Bulk, enlarge their Galleries, till they reach the Combs, when putting out their Heads, which are armed with Scales, as with a Helmet, and fo im-penetrable by the Bees Stings, they fecurely feed on and devour their cu-rious Works, till the poor diftreffed Bees are forced to abandon their Ha-bitation.

My Boxes, I freely own, will not fecure the Bees from thefe dangerous
Enemies;

Enemies; but they are not, I have
Reaſon to think, ſo much infeſted
with them as Hives are. Beſides,
there is a Remedy to be had in Boxes,
which Hives will not admit of; for
by Means of the Glaſs Lights, you
may diſcover the Moths, before they
have done much Damage; and you
may take away the infected Box, and
ſave the others; or you may clear it
of Moths, and then reſtore it to the
right Owners.

4. In the Uſe of theſe Boxes, you
are furniſhed with the only Method of
preſerving poor Stocks by *feeding*
them. The beſt Way hitherto prae-
tiſed, is to give them a large Quantity of Honey in *September*, moſt of
which, if melted, and mixed with
Water, to bring it to a proper Con-
ſiſtency, they will lay up in their
Combs for their Winter Store. I have
many

many Times, tried this Method; and
my Bees have perished with Hunger,
with a good deal of this Honey re-
maining in their Combs. This, I
think, can no Way be accounted for,
unless we suppose, that the Honey,
thus thinned with Water, will not
keep, all Winter, in the open Cells;
for the Bees never seal it up, as they
do the Rest of their Honey: or else,
that the crude Wax, commonly called
Bee-Bread, with which every Hive is
stored, is as *necessary* to their Subsist-
ence as Honey; and that when
this is all spent, *Honey alone* will *not*
keep them from *perishing*.

But if your Bees are in the Boxes I
have described, you have an easy and
effectual Method of preserving *Part*
at least of your *weak Colonies*: For
you have Nothing more to do, than
to burn the Bees of one poor Stock,

and

and set the Boxes, or one of them,
with all the Combs to another. By
this Means, the Bees you save, are
supplied with a fresh Store both of
Bread and Honey, in their *natural
State*; and enjoy the Labours of their
suffering Brethren, in the same Manner, as they do their own. This,
the good-natured Bee-Master, it is
hoped, will comply with, now and
then, though it be with Reluctance,
since there is, in this Case, a cruel
Necessity, either of *destroying* one
Stock to *preserve* another, or of suffering *both of them* to perish.

5. It will not, I think, be necessary
to say much concerning the Advantages of these Boxes, above those
of Mr. *Gedde*. His Boxes are directed
to be each as large as a Bushel; and
they are to be raised, one upon another, three Stories high, with a Hole
of

of Communication in the Top of each Box. Now when the poor Bee, after traverſing the Fields far and wide, returns Home weary and heavy laden, She has Occaſion, perhaps, to depoſit her Burden, up two Pair of Stairs in the Garret. The lower Room, 'tis likely, is not yet furniſhed with Stairs, *i. e.* with Combs: For our little Architects, you know, lay the Foundation of their Structures at the Top, and build downwards. In this Caſe, the weary little Labourer, is to drag her *Crura Thymo plena* up the Sides of the Walls. When She has done this, She will travel, many Times, backwards and forwards, (as I have frequently ſeen) along the Roof, before She finds the Door, or Paſſage into the ſecond Story. Here again, She is perplexed with a like puzzling Labyrinth, before She gets into the Third. What a Waſte is here, of that precious Time, which our Bees value ſo much, and which they employ ſo well? And what an Expence of Strength, and Spirits, on which their Support and Suſtenance depends? whereas, in the Collateral Boxes, the Rooms are all on the Ground-Floor: and becauſe I know my Bees are wiſe enough, to value Convenience more than State, I have made them of ſuch a moderate, tho' decent, Height, that they have much leſs Way to climb to the Top of them, than they have to the Crown of a common Hive.

6. The Difficulty of driving the Bees out of Mr. *Gedde's* Boxes, in order to take the Honey, has been touched upon before; as likewiſe the vaſt Expence of them; which alone, had they been never ſo well contrived in other

other Refpects, would be fufficient
to prevent their being brought into
common Ufe. The Expence of my
Boxes, and of the Frame I have de-
fcribed, if you make a reafonable
Allowance for the *Duration* of them,
will not, I am confident, prove
greater in the *End*, than the Charge
of Straw-Hives, and of the Frames
that are made, in moft Places, for
their Reception : and a great deal of
this Expence may be faved, where
the Bee-Mafter will be fo provident,
as to fave or procure Ends and Rem-
nants of Boards, of little Value,
which may ferve very well for this
Purpofe. The Charge of the Frame,
too, may be faved, if he can fpare a
Place within any of his Buildings (efpecially if they be boarded) where he
may fix his Stools for the Boxes to
ftand on, making Holes at proper

Diftances

Diſtances for the Bees to work out at: nor need he be very ſolicitous concerning the Aſpect, or Height of his Buildings: for I have known Bees thrive well, and get a large Quantity of Honey, which were placed almoſt at the Top of a high Turret in *Trinity College*, and on the North Side of it.

The CONCLUSION.

HAVING now fully inſtructed the candid Reader, in the Structure, Uſe, and Advantages of my Boxes, I ſhould here leave him to calculate, by himſelf, his *future Profits*, in this *new Method* of managing his Bees, but that I am a little afraid he will reckon too faſt; and

this

this I think myſelf bound in Conſci-
ence to prevent. " I have now got
" half a Dozen old Hives, ſays the ho-
" neſt Countryman, and I will imme-
" diately order my Carpenter, to make
" Col —what d'ye call'um, Boxes, for
" all my Swarms. Every Swarm I get,
" will add to my Stock; and I ſhall
" hardly be ſuch a Fool, as to leſſen it
" any more, by *burning* the *poor things*,
" ſince I can get Honey and Wax e-
" nough for the Market without it. So
" this Summer, if I have any Luck, I
" ſhall have Six Swarms at leaſt, then
" the Number of my Colonies, as the
" Parſon calls 'em, will be Twelve: the
" next Summer, I ſhall have Twenty
" Four; and ſo by doubling my Stock
" every Year, I ſhall ſoon have as ma-
" ny as my little Garden will hold."

The Romantick Lady, in the entertaining *Hiſtory of Bees*, tranſlated

from

from the *French* in 1744, has quite outdone my Countryman, in *her* Computations. Her Philofopher had told her of a wild and impracticable Method, of taking Part of the Honey, and faving the Lives of her Bees, by driving them into a Corner of the Hive, by the Smoak of a Rag, while the Operator (bold Man!) fhould pare away with his Knife, as many of the Combs as he thought proper. Upon this, the charitable Lady, tranfported with the Difcovery, forms the following benevolent Scheme, for the Benefit of her poor Neighbours. *Every Inhabitant of my Hamlet*, fays fhe, *fhall be provided with two Hives. Every Hive*, [in France] *will, one with the other, produce two good Swarms, fo a Man who is now poffeffed of Two Hives, will have Six next Year, Eighteen the following,*

Fifty

Fifty four the fourth, and the Fifth a Hundred and Sixty two, AND SO ON. The good Lady, I think, might have been content (but her Charity knew no Bounds) with the laft-mentioned Number, and fpared her *&c·*

This was likewife the ferious Language of *Grefham College,* in the Approbation above mentioned, which I am forry fhould come again in my Way. *Thus much* (fay they) *may certainly be affirmed, that by the Methods laid down in* Mr. Gedde's *Treatife, in few Years, there need not be any or few Poor, in the Land. Every Cottager, having but Room to keep Bees in, may, from one Stock, in a fmall Time, raife Twenty, which, with little Care and Labour, may be better than Ten Pounds per Annum to him.* How great is the Pity, that not one Cottager (I believe) in the Space of Fourfcore Years, has been prevailed on, to take this eafy and certain Method of growing rich? for my Part, I am far from expecting fuch great Things from my prefent Undertaking: and yet, if confidered as a Projector, I am not fenfible, that I want a proper Affurance, and my Reader, I fancy, by this Time, may be of the fame Opinion. But being now almoft ready to take my Leave of him, I will tell him honeftly, and ferioufly, what he is to expect, if it fhall pleafe him to make Trial of my Boxes. In a few Years, I will venture to promife him, he will encreafe his Stock, to as great a Number, as the Flowers in his Neighbourhood will maintain, but my Affurance will carry me no further; and fad Experience has taught me, that in fome Situations, like this, in which

I am

I am myſelf (in this one Reſpect) un-
happily placed, that Number will be
found very ſmall. There are now,
in the Village where I dwell, which
is a large one, only Ten Hives or
Colonies of Bees: and though we
have beautiful Meads, and fine Gar-
dens, in which *Flora* diſcloſes all her
Treaſures, yet for want of a free and
open Air, (as I conjecture) in theſe
thick Encloſures, our Flowers yield
ſo little Food for the poor Bees, that
no greater Number, I am well ſatis-
fied, than what I have mentioned,
or thereabouts, can get a Subſiſtence
in this Place: whereas, in the neigh-
bouring bleak County of *Cambridge,*
where the Inundations of the Fens,
or the Farmer's Plow, or the Flocks
that are grazing (ſhould I ſay, or
ſtarving?) on barren Heaths, will
ſuffer hardly any Flowers to ſpring,

H

or open their Bloffoms, (excepting
the *Flowers of Eloquence*, which thrive
exceedingly on the Banks of CAM,
but thefe afford only a thin Sort of
Juice Nectareous
fitter for Poets to feed upon than
Bees;) yet here, I fay, there is fuch
a Profufion of Honey, in the few
Flowers that efcape, that I have feen
between Seventy and Eighty Hives in
one Farmer's Yard: and this, juft after the *Inquifition* was over, and he
had been *murdering* all he intended
to *murder* that Seafon. And thefe
Hives, I know too well, were much
better ftored with Honey, than any
are found to be in thefe Parts.

Now fhould this honeft Farmer,
by way of rewarding me for thefe my
Labours, for his Benefit, make me a
Prefent of Forty or Fifty of his Colonies, and fhould be fo kind as to
bring

bring and place them in my Garden, what, think you, would be the Confequence of his Generofity? Nothing lefs than a dreadful Famine. The New-comers would be ftarved themfelves, and would ftarve all my poor Neighbours Bees, for Three or Four Miles round me. They would be fo far from laying up any thing for a Winter's Day, that many of them, I believe, would die for Want, in the midft of Summer.

I have often thought it very furprizing, that neither the Authors who treat of Bees, nor the Keepers of them, ever imagine, that any Place can be over-ftocked, or that any one's Bees fare either better or worfe, for the larger or fmaller Stock that is kept in his Neighbourhood. They think, it feems, that every Flower they fee, is a never-failing Cruife of Honey. Let

me

me here acknowledge the Bounty of our Creator, and with due Thankfulnefs and Admiration confefs, that, in fome Senfe, it is fo: For when a Bee, with its little lambent Trunk, has cleared a Flower of all its *prefent Store*, another comes, 'tis likely, in lefs than a Minute, and finds *fomething*: For the delicious Juice is continually fweating thro' the Pores of the Plant. But, 'tis certain, for all this, that the more of thefe Guefts vifit a Flower, the worfe muft each of them fare: They will have the lefs to carry Home, or, which is all one, they muft go further, and fpend more of their precious Time, before they can make up their Burden.

This Confideration gives a mighty Check, I muft own, to the Expectations I fhould otherwife have from my new Boxes. Was it not for this, I

could

could be as bold, and as large in my Promifes, as the Undertakers that have gone before me. I could tell my Countrymen, that I would take upon me to maintain all their Poor, and make their Rates needlefs.

But this is not my Language. My Country, I flatter myfelf, will reap fome Benefit from the Pains I have taken. There is Reafon to believe, that in many Parts of the Kingdom, the little Labourers in Honey and Wax, are *not fufficient* for the *Harveft*; and my Method of managing Bees, if followed, muft unavoidably encreafe the Number of them; and will encreafe it fo far, that all the Honey and Wax which the Flowers of our Climate will yield, will be collected into their Store-Houfes. And this, perhaps, may be a Saving to the Nation, of all that Money, with
which

which we purchafe bafe and adulte-rate Commodities of this Sort, im-ported from Abroad.

I fhall likewife, I hope, have the Satisfaction to find, that many of the poorer Sort will be *benefited*, tho' not *enriched*, by this Method. My Scheme, I am well affured, will furnifh them with *Stock*, at a cheap and eafy Rate; but I muft tell them once more, that *they* muft find *Pafture*.

POST-SCRIPT.

WHILE thefe Sheets were in the Prefs, the Author was informed, that the Royal Society *thanked the Gentlemen* who communi-cated Mr. *Gedde's* Invention to them: and that it is faid in their *Tranfacti-ons*

ons (.Vol. viii.) that his *Method of managing Bees had been used in* Scotland *with good Success:* But that they gave him no Authority to prefix to his Book a *formal Approbation* in *their* Name, as he has done. The Reader, therefore, is defired to look upon this pretended Approbation, as the Effect of Mr. *Gedde's* own Vanity and Falfhood: and the worthy Gentlemen of the Society will excufe, it is hoped, the Author's fpeaking of it, as it *did,* and *muft* appear to him, before he received the above Information.

F I N I S.